NON A L'OBÉSITÉ

Luc DRESSANT

NON A L'OBÉSITÉ
TRAITEMENTS SANS RISQUES
RÉGIMES EFFICACES

D. N. L.

Editions ANDRILLON
6, avenue du Général-Leclerc, 02203 Soissons (Aisne)

INTRODUCTION ET RÉSOLUTION

L'embonpoint n'a pas toujours été considéré comme une surcharge morbide. Sinon ce terme n'eût pas été retenu. Ne signifie-t-il pas tout le contraire d'une maladie ? C'est ainsi que l'on peut lire dans les *Notes lexicologiques* de Delboulle, écrites en 1377, qu'un homme en bonne santé était désigné par l'expression « en bon point ». Et pendant des siècles, la prise d'embonpoint caractérisa l'état des personnes grasses, sans que l'on s'avisât d'une éventuelle menace sur leur santé. Le ventre, à coup sûr, était bien porté. Ventre de propriétaire ou majestueuse bedaine fut même pendant longtemps signe de réussite et signe de santé. Et l'embonpoint évoluant du léger à l'excès, le ventre se transformait en un abîme de gloutonnerie.

De sorte que, de l'embonpoint de bon aloi, on glissait dans l'obésité.

Ces quelques observations amorcent une définition de l'obésité marquée par l'excès pondéral, la surcharge d'adiposité. Autrement dit, l'état de ceux et celles qui, progressivement ou rapidement, deviennent « gras à lard ». Excès qui inaugure, avec les réductions proportionnelles de la capacité de se mouvoir, les menaces sur l'intégrité des grands appareils, du sang, des humeurs, des glandes endocrines.

Voilà donc l'obésité enfermée dans le mot excès. Maladie définie par l'excès de graisse. Les médecins ne cessent aujourd'hui de mettre en garde leurs patients et patientes contre les dangers de cette surcharge. C'est relativement nouveau. A peine quelques décennies. Et pourtant Hippocrate n'avait pas manqué de montrer les risques graves de la surcharge graisseuse.

Recommandation ignorée à travers les siècles et redécouverte enfin au nôtre. Les compagnies d'assurance sur la vie n'ont pas manqué de se pencher sur ce problème. Elles ne souhaitent rien tant que d'assurer des personnes aptes à devenir centenaires, à dépasser la date limite du contrat. Elles ont donc établi la courbe idéale de santé et de longévité.

La conclusion est un encouragement à lutter contre les adiposités superflues. En effet, selon les statistiques, ont des chances de vivre en bonne forme et longtemps, ceux et celles qui luttent avec assiduité contre des kilos indésirables. Ceux et celles qui s'efforcent de ne pas trop s'éloigner du poids de leur jeunesse, cette époque facile, du moins pour les viscères en général et l'appareil digestif en particulier, où l'on pouvait manger impunément sans faire de graisse, des sucreries, des pâtisseries, du pain complet et chlorotique, de la brioche, des sauces grasses, des nourritures de grand feu et de la charcuterie et des petits pâtés et force crèmes glacées ! Nous étions bien affligés de caries mais, outre que ce sujet n'est pas celui de la présente étude, nous n'avions pas une once de graisse, mais, ô nostalgie ! bedaine en creux, autrement dit ventre de loup.

Où sont les neiges d'antan ! Passé l'âge de vingt-cinq - trente ans, il n'est plus question de se laisser aller à sa gourmandise et à son coup de fourchette. La mesure s'impose. Les rations doivent obligatoirement être réduites. La quantité doit céder le pas à la qualité. D'une façon générale, et du moins dans notre pays, les gens mangent beaucoup et bien, mais se nourrissent mal. Il s'agit donc de renverser la proposition, et de se nourrir parfaitement en mangeant juste.

En d'autres termes, il importe de pratiquer une diététique appropriée, de sorte que chacun reçoive tous les nutriments indispensables à l'équilibre organique, tout en conciliant cette obligation avec le légitime plaisir de manger.

*
* *

Ce but ne peut être atteint sans une discipline qui ne doit plus cesser, dès l'instant où l'on a décidé de s'y soumettre. Cela suppose une connaissance du problème et des moyens de le résoudre. C'est le dessein de ce livre de vous exposer le premier et de vous fournir les seconds.

Mais l'effort restera toujours à votre charge. Ne croyez surtout pas que vous maigrirez uniquement en recourant à une thérapeutique. Celle-ci ne peut intervenir que pour un temps. Le temps de l'amorçage. Ensuite le principal reste à faire. Persévérer, maintenir son poids de santé.

Ne vous imaginez pas que vous pourrez maigrir en absorbant des aliments miraculeusement amaigrissants, ou grâce à des slogans publicitaires, ou en lisant sans esprit critique des articles de vulgarisation inspirés par des producteurs. *Le Laboratoire Coopératif de Gennevilliers* a relevé à cet égard quelques perles de cette littérature. Je crois utile de les reproduire dans cette introduction, comme des litanies, avec le secret espoir de vous rendre définitivement réfractaires à ce genre d'informations destinées, me semble-t-il, à des sous-développés mentaux :

● Exiger du vrai Hollande. C'est meilleur et ne fait pas grossir.

● Les pâtes R. et C. sont recommandées à toutes celles qui surveillent leur ligne.

● La bière est l'amie de votre ligne.

● Chocolat ventre effacé.

● Le cidre doux permet de rester jeune et mince.

● Banania ne fait pas grossir.

● La margarine P. nourrit mieux sans vous empâter.

● Le lait stérilisé C. nourrit mieux sans faire grossir.

● Le lait écrémé L. nourrit sans engraisser.

● Pour sa ligne, elle a choisi le lait sec H.

● Gl. écrémé et votre ligne reste jeune.

● Le lait dégraissé en poudre F.-L. supprime embonpoint et cellulite.

- La moutarde B. est un aliment amincissant.
- Le pain de campagne breton combat l'obésité.
- Le pain J. est amaigrissant.
- La morue salée permet d'éviter l'obésité.
- Avec le yoghourt D., nulle crainte d'embonpoint.
- SK. est le meilleur agent amaigrissant.
- Le poulet figure dans tous les régimes, y compris les régimes amaigrissants.

Il n'est pas jusqu'aux eaux minérales qui évitent l'embonpoint, sont contre les kilos, permettent de garder la ligne.

Après une telle lecture on est tenté de se demander comment il peut encore exister des obèses. Affligeant n'est-ce pas ? Et d'autant plus que si la mode était à l'excès pondéral, comme dans certains pays arabes où les hommes apprécient ou appréciaient, il n'y a guère, les femmes adipeuses et indolentes, si la mode, dis-je, était à cet excès, la même publicité pourrait être utilisée en changeant simplement de sens :

- Les pâtes R. et C. sont « recommandées » à toutes celles qui désirent augmenter leur ligne ».

- La margarine P. nourrit mieux et vous empâte..., etc.

Que ces extraits suffisent à vous écarter définitivement de ces attrape-nigauds. Ce genre de publicité n'a pas pour objet d'informer le consommateur obèse, mais ne vise uniquement qu'à augmenter la consommation et, en fin de compte, l'obésité.

*
* *

Que l'on me permette d'insister, l'excès pondéral ne se combat que par un effort constant à partir des connaissances que cet ouvrage va vous apporter.

D'abord définir ce qu'est l'obésité. Un excès certes, mais produit quand et comment ?

Il s'agit de distinguer l'obésité par déséquilibre alimentaire, la forme la plus fréquente, de l'obésité morbide résultant par exemple d'un dysfonctionnement glandulaire.

En ce qui concerne les degrés d'obésité, je donnerai à partir d'un poids standard, la grille des mensurations et la fourchette d'oscillation pondérale, avec les différents éléments dont il faut tenir compte dans ces évaluations.

Cela posé, nous verrons que la surcharge pondérale a une composante psychique ou plus exactement psycho-organique, et nous devrons définir l'appétit et son mécanisme, et comment ce phénomène peut être contenu.

D'un autre côté, le surpoids en lui-même n'aurait que des inconvénients d'ordre esthétique et ne présenterait aucun danger, s'il ne s'accompagnait du risque de certaines maladies. C'est ainsi que le diabète gras atteint plus fréquemment les obèses. On sait aussi le retentissement de la surcharge pondérale sur le cœur et les vaisseaux : la fatigue du cœur, l'augmentation du volume sanguin. Ajoutons le surmenage du rein et les perturbations du foie. Enfin la goutte et le rhumatisme dégénératif ne sont pas rares chez les obèses.

*
* *

Il est donc salutaire de perdre les kilos en excès, et se pose à cet égard, la question des médicaments. J'ai fait allusion ci-dessus à l'impossibilité de maigrir en y recourant uniquement. C'est un problème qu'il nous faudra voir d'assez près.

En dépit d'une juste circonspection à l'endroit des drogues, nous ne devrons pas méconnaître que, dans certains cas, la lutte contre l'obésité doit être épaulée par des remèdes appropriés. Mais le lecteur devra savoir à quoi il s'engage en absorbant des anorexigènes, de l'hormone thyroïdienne et des diurétiques. Une étude critique avec évaluation des dangers sera à ce propos indispensable.

Les médicaments allopathiques de l'obésité sont d'un maniement délicat, et la posologie doit en être étroitement contrôlée par le médecin. Sinon des accidents très graves et parfois mortels peuvent survenir.

Retenons dès l'abord cette vérité, à savoir que si une drogue à haut pouvoir pharmacodynamique est prescrite, elle n'est jamais suffisante à elle seule. Cela signifie qu'il ne sert à rien de maigrir rapidement. Kilos trop vite éliminés sont des kilos très vite repris, au détriment de la santé, et, nous en connaissons tous des exemples, quelquefois au prix de la vie.

Une telle façon de maigrir est particulièrement morbide et devrait inquiéter le sujet et son entourage. L'obèse vit dans un certain équilibre. L'intégrité de ses organes et appareils est certes hypothéquée, mais il ne s'agit pas de tout bouleverser en quelques semaines. Le but est de parvenir à l'équilibre optimal, celui de la grande santé qui, pour l'obèse, ne peut être atteint que par une diminution pondérale progressive.

C'est pourquoi je donnerai ma préférence aux remèdes homéopathiques et phytothérapiques. Ceux-ci et ceux-là agissent sans brutalité, sans toxicité, sans effets secondaires, en profondeur. Ils requièrent la patience du sujet et sa persévérance. Mais, sans ces deux vertus, jamais obèse ne se rapprochera durablement et sans danger du poids idéal.

*
* *

La diététique de l'obèse constitue, bien évidemment, la partie essentielle du traitement. Le point sur lequel j'insisterai est la nécessité de ne pas avoir de régime carencé. Cela revient à dire qu'aucun nutriment ne doit être éliminé. Il est faux de prétendre que les corps gras doivent être supprimés. L'organisme a un besoin absolu d'acides gras polyinsaturés que les nutritionnistes ont assimilé à une vitamine (vitame F). Se priver de ce facteur est gros de conséquences pour sa santé.

Les huiles, le beurre peuvent être supprimés pour un temps, mais ensuite ils doivent être réintégrés dans l'alimentation en une ration minimale que je préciserai.

De même pour les glucides ou hydrates de carbone que l'on dénonce à juste titre comme générateurs d'obésité.

La nécessité absolue de recevoir une alimentation complète nous imposera, là encore, de passer en revue les différents glucides et de voir comment il est possible d'en assurer la balance et d'éviter la lipogenèse ou transformation des glucides en graisses.

Je ne manquerai pas non plus de me pencher sur la question des sels minéraux dont plus personne ne devrait ignorer l'importance pour l'économie organique : le calcium, le phosphore, mais aussi le magnésium, le potassium, le sodium, l'iode, le fer, le soufre et les différents oligo-éléments.

Les sels minéraux en solution, dissociés en ions, m'amènent à évoquer l'eau de boisson. Et je dis tout de suite qu'il ne faut pas la supprimer, qu'elle est rigoureusement indispensable. En se privant de boire, comme beaucoup de gens le font dans des régimes fantaisistes et improvisés, on ne diminue en rien sa surcharge pondérale, mais on est sûr en revanche de diminuer le volume sanguin c'est-à-dire de créer une hémoconcentration. Cela a pour effet d'augmenter le taux de l'urée, du cholestérol et des lipides sanguins. Si le sujet prend des remèdes amaigrissants, les déchets à éliminer seront plus importants, d'où un surmenage rénal accru par l'insuffisance de boisson.

Nous ne devons jamais perdre de vue que pour favoriser l'élimination des déchets par les émonctoires, il faut boire sa pleine ration d'eau. Et l'eau ne fait pas grossir, contrairement à un préjugé qui paraît avoir la vie dure.

Une alimentation complète très étudiée appelle un troisième développement : l'exercice-oxygénation. Ce sera un chapitre très important. L'obésité va souvent de pair avec un défaut d'exercice. Ne pas confondre avec un manque d'occupation. Il est des ménagères accablées de besogne et qui ne cessent de grossir. C'est qu'elles piétinent sur place, reçoivent une nourriture inadaptée et s'oxygènent peu. La culture physique est, à cet égard, strictement indispensable. Elle favorise puissamment l'élimination des déchets qui menacent les articulations, et évite l'accumulation des adiposités autour des hanches, sur le ventre, à la nuque et en d'autres régions, et nuisent à la fois à l'esthétique et à la santé.

Bref, lorsque vous aurez achevé la lecture de ce livre, vous aurez une connaissance suffisante du problème qui vous préoccupe, et vous posséderez une somme de moyens pratiques aptes à vous rapprocher du poids idéal.

Il vous restera sans doute à conduire votre effort avec assiduité, mais si vous vous en tenez à mes recommandations, à la diététique rationnelle et, éventuellement, aux prescriptions de votre médecin, les résultats obtenus, le seront sans nuire à votre intégrité. Bien au contraire, vous vous porterez mieux.

Grâce aux plantes et aux remèdes homéopathiques, sans courir aucun risque, vous accélérerez les phénomènes d'élimination, vous équilibrerez les métabolismes profonds en opérant un drainage renouvelé des différents tissus et organes.

Si l'amaigrissement est progressif, vous ne pâtirez pas d'asthénie et d'aucune forme de dépression. De plus, cette perte de poids modulée vous permettra, lorsque vous aurez atteint le chiffre idéal, de vous y maintenir pour la simple raison que vous serez habitué à votre nouveau style de vie et que vous en aurez déjà éprouvé le bénéfice.

*
* *

Voilà donc, dans ses grands traits, le contenu de ce livre. Ainsi que j'y ai fait allusion, je ne manquerai pas de réserver un développement au rôle du psychisme. Dans tout traitement, il faut compter avec son influence sur les organes non soumis à la volonté. Importance mise en évidence par de nombreuses maladies organiques qui sont l'expression, en quelque sorte symbolique, d'un conflit psychique.

Or l'obésité peut être liée à une situation conflictuelle.

On mesure dès lors l'importance de l'auto-examen, à défaut de pouvoir se raconter à quelqu'un, à un conseiller prudent, afin de déceler le nœud du problème, le complexe, et de retrouver toute sa lucidité et la confiance en soi.

Maîtrise de soi et confiance en soi sont aussi des facteurs thérapeutiques déterminants, des facteurs de réussite dans tous les domaines. Mais pour atteindre à la sécurité, fruit de la confiance, une longue patience est nécessaire.

Il s'agit en outre de bien connaître ses propres réactions, ses particularités, sa sensibilité organique, non point pour s'écouter, comme l'on dit, mais pour ne rien ignorer des possibilités de ses viscères et tissus, pour ne point dépasser leurs tolérances, et cependant exercer ses organes et ses appareils à remplir convenablement leurs fonctions. A les éduquer sans cesse, en n'oubliant jamais que la vie organique, c'est-à-dire la nôtre, constitue un équilibre précaire, sans cesse remis en question dans les conditions de l'existence présente.

Si nous persévérons dans notre lutte contre l'obésité, cet effort constituera un exercice pratique et quotidien de l'art de vouloir. Un art qu'il convient d'apprendre, un art difficile, ne le dissimulons pas, mais un art qui détermine l'action efficace et, du même coup, la prévention de la dégénérescence psycho-organique.

Décider de se rapprocher du poids normal implique donc bien des vertus, à défaut desquelles il n'est pas possible d'obtenir un résultat durable ni sur ce plan et ni sur tant d'autres.

GRAISSE, ADIPOSITÉ ET EAU

Nous avons vu dans notre introduction que l'obésité est caractérisée par un excès. Le terme vient du latin *obesus* qui signifie être bien nourri ; de *obesitas*, de *ob*, à cause de ou en retour de ce que ; *edo* je mange, sous-entendu avec excès.

Mais si l'on veut avoir une certaine connaissance du sujet, la question se pose de savoir pourquoi la nourriture, quand elle dépasse un certain seuil, détermine l'obésité caractérisée par l'accroissement de la masse grasse du sujet.

Notre organisme est formé par des protéines, terme qui désigne le complexe biochimique fondamental de la cellule, et donc de tous les tissus jusques et y compris le tissu osseux; par des sels minéraux et notamment le calcium et le phosphore indispensables à l'élaboration et à l'entretien des os ; par les glucides ou hydrates de carbone, véritables carburants de l'économie, désignés improprement par le mot sucre ; les lipides ou graisses qui jouent un rôle important dans les structures cellulaires et ont une fonction énergétique primordiale ; enfin l'eau, principal constituant de la matière vivante puisqu'elle représente 60 % de la masse de notre corps : eau du plasma sanguin, eau du milieu intérieur ou extracellulaire ou interstitiel qui baigne toutes les cellules, eau intra-cellulaire.

*
* *

Mais revenons sur les lipides organiques : même chez une personne maigre, ils représentent la principale réserve d'énergie, susceptible, si le sujet est en bonne santé, de se mobiliser rapidement et rendre possible un effort à jeun. Certes, les glucides permettent d'assurer les activités, mais le foie et les muscles ne sont pas en mesure de stocker plus de trois cents grammes de glycogène. Cette quantité n'autorise qu'une activité moyenne, pendant cinq à six heures, et il est indispensable, pour aller au-delà ou se livrer à un effort soutenu, de recourir à l'alimentation. A défaut, c'est la masse grasse qui se mobilise.

En Occident, la quantité de lipide oscille autour de neuf kilos pour l'homme et dix-huit kilos pour la femme. Elle varie donc selon le sexe et pourrait assurer, dans le cas où les graisses seraient parfaitement et totalement mobilisables, trente et soixante jours de survie pour l'un et l'autre sexe.

Notons qu'il s'agit là de masses moyennes. On observe pratiquement des variations très sensibles chez les individus aptes, selon leur tempérament, à tolérer sans aucun trouble des chiffres plus élevés ou inférieurs à ceux mentionnés ci-dessus.

Cependant, passé un certain niveau, et nous ne nous occuperons bien entendu ici que du supérieur, l'accumulation excessive de graisse dans l'organisme devient dangereuse, voire nettement pathologique.

LE TISSU ADIPEUX

Efforçons-nous maintenant d'acquérir quelques notions relatives à la formation du tissu adipeux normal et morbide.

La composition des lipides de notre organisme dépend, c'est l'évidence, de la retenue des acides gras et des glycérides circulant dans le sang. Les corps gras alimentaires résultent essentiellement de combinaisons d'esters spéciaux synthétisant le glycérol et des acides gras.

Donc la composition des graisses du tissu adipeux résulte du captage des lipides circulants. Mais elle dépend aussi de la transformation en graisse des glucides ou plus exactement du glucose non utilisé, et encore de la désassimilation des acides gras par la cellule adipeuse ; et enfin de la faculté de libérer des acides gras dans la circulation ou phénomène contraire à la captation.

La cellule adipeuse a la possibilité d'accumuler des lipides dans une vacuole qui s'encombre et repousse le cytoplasme actif de cette cellule contre la membrane externe. Elle est également apte à concentrer du glycogène si la circulation sanguine en fournit plus que le sujet ne peut en brûler ; glycogène qui est le précurseur des glycérides. En réalité ces glycérides sont presque uniquement des triglycérides, constituant le plus répandu des corps gras. Triglycéride qui renferme donc trois molécules d'acide gras.

Pour ceux et celles qui sont plus avancés en chimie, précisons que ces molécules de structure semblable renferment trois chaînes d'acides gras estérifiant les trois fonctions alcool d'un glycérol.

Il faut bien avouer que la structure de ces triglycérides n'est pas parfaitement connue, ce qui n'empêche pas de connaître la composition des différents tissus adipeux humains. Cette composition dépend à l'évidence de la nature des corps gras ingérés. Selon Favarger, qui a fait à cet égard l'étude de la synthèse des graisses dans le tissu adipeux, si le régime ne comporte pas d'excès de corps gras, la composition des lipides organiques en acides gras est la suivante : 45 à 50 % d'acide oléique, 25 % d'acide palmitique, 7 % d'acide stéarique et 6 % d'acide palmitoléique. La teneur en acides gras essentiels polyinsaturés oscille de 2 à 12 %.

Ces taux subissent des modifications proportionnelles à la quantité et à la nature des corps gras ingérés. D'autre part, l'incorporation des acides gras circulant dans le tissu adipeux augmente dans de sensibles proportions, s'il y a parallèlement excès de consommation de glucides.

*
* *

Ces observations mettent en évidence l'activité permanente du tissu adipeux et les phénomènes biochimiques extrêmement compliqués dont il est le siège. Ce n'est donc pas un tissu inerte, et les échanges qui s'opèrent, la mobilisation des graisses montrent son activité incessante, concurremment avec les autres tissus de l'organisme.

Tissu de soutien ou adipeux profond qui contribue à maintenir en place les organes ; tissu d'enveloppe qui assure le galbe et le modelé, améliore les formes et favorise l'esthétique ; tissu adipeux des franges synoviales dans les articulations et aussi dans les gaines des vaisseaux et des nerfs, dans les espaces interfasciculaires des muscles ; tissu de réserve d'énergie et des graisses protoplasmiques indispensables à la constitution cellulaire. Oui, cela est incontestable, le tissu adipeux est un tissu important, nécessaire à l'intégrité.

*
* *

Il se forme au cours de la gestation, au début de la cinquième semaine de la vie fœtale. Les cellules adipeuses qui ne se multiplieraient plus après la naissance, possèdent la faculté de se développer, d'emmagasiner les lipides, phénomène qui caractérise l'obésité.

Le pannicule adipeux ou couche sous-cutanée, qui double la peau sur la plus grande partie de son étendue, correspond à cinquante pour cent de la totalité du tissu adipeux. Il est constitué de lobules graisseux et est placé entre le derme et les aponévroses d'enveloppe, sortes de gaines qui entourent des groupes de muscles.

Le tissu adipeux n'existe pas aux paupières, ni au dos des mains, des pieds, ni aux chevilles. Lorsque ces régions augmentent de volume, il ne s'agit pas d'accumulation de graisse, mais d'œdème ou infiltration de sérosités.

Ce tissu se raréfie aux coudes et aux poignets.

Chez les femmes ou chez les hommes de morphologie féminoïde, les régions les plus riches en tissu adipeux sont celles des seins, de derrière les épaules, du ventre, des hanches, des fesses et des cuisses.

Chez les hommes ou chez les femmes de morphologie masculinoïde, les localisations adipeuses sont la nuque, les épaules, l'estomac et les pectoraux.

Cette différenciation dans la distribution du tissu adipeux explique pourquoi l'obésité chez l'homme, obésité androïde, est plus marquée dans la partie supérieure du corps ; alors que chez la femme, obésité gynoïde, elle affecte au contraire la partie inférieure.

*
* *

Pour que ce tissu soit vivant, il faut à l'évidence qu'il soit bien irrigué. De fait, sa vascularisation est particulièrement dense. Il en est de même pour l'innervation qui compose un réseau très riche, à partir des plexus sympathiques et des ramifications issues des gros troncs nerveux régionaux, et suivant généralement le tracé des artérioles.

LIPOGENÈSE

Voilà donc notre tissu adipeux indispensable à l'économie, dont la moitié est sous le derme et assure ici l'harmonie des formes, jusque dans les joues, où la boule de Bichat améliore l'ovale du visage, évite les creux et est la dernière à disparaître en cas de famine.

Harmonie des formes tant que les adipocytes ou cellules adipeuses regroupées en lobules ne sont pas surchargées de graisses du fait de la lipopexie ou captation, comme nous l'avons vu ci-dessus des acides gras élaborés dans le foie et véhiculés par le sang, mais aussi de la liposynthèse.

La liposynthèse ou lipogenèse désigne la faculté pour les organismes supérieurs de transformer les glucides ou hydrates de carbone en graisses spécifiques. Le glucose pénètre dans les adipocytes où il est transformé en glycogène comme le font les cellules hépatiques. Sous l'effet de réactions chimiques très compliquées, dont l'exposé dépasserait le cadre de ce livre, des transformations se produisent au sein de la cellule, les composés glycogéniques passent

par la constitution de l'acétyl-coenzyme A qui intervient dans la synthèse des acides gras. Synthèse qui nécessite la présence d'insuline.

Ainsi, dès le début de cette étude, ce mécanisme de la liposynthèse ou lipogenèse met en évidence le rôle joué par les aliments glucidiques, farineux ou amylacés et sucres dans la constitution des obésités. Il ne s'agit donc pas de réduire les graisses, il faut aussi et surtout surveiller sa ration de glucides. Je reviendrai sur cette importante question en temps opportun.

L'EAU ET L'ORGANISME

Pour bien comprendre les mécanismes qui concernent la répartition de l'eau, les échanges et la régulation, et en finir avec les préjugés quant au rôle de l'eau dans l'obésité, il me paraît utile de consacrer un chapitre à ce problème.

Nous avons vu que l'eau représente pour le moins 60 % du poids du corps. C'est donc l'élément fondamental de l'organisme. La quantité d'eau varie avec l'âge. C'est ainsi qu'un nourrisson en contient davantage que l'adulte. La femme dont le pannicule adipeux est près du double de celui de l'homme est un peu moins hydratée avec un taux de l'ordre de 50 à 55 %. Un sujet gras renferme moins d'eau qu'un sujet maigre. L'eau totale chez celui-ci peut atteindre 80 % de son poids. Une personne maigre passe pour une personne sèche alors qu'elle a peu de pannicule adipeux, mais est proportionnellement plus hydratée.

L'eau totale est contenue dans les cellules ou eau intracellulaire, et hors des cellules ou eau extracellulaire. L'eau extracellulaire comprend l'ensemble des liquides qui entourent les cellules, véritable mer intérieure ou liquides interstitiels ou la lymphe, le plasma dans lequel baignent les globules et éléments figurés du sang, le liquide céphalo-rachidien, et les liquides synoviaux qui lubrifient les articulations.

L'eau des liquides interstitiels qui comprennent les liquides synoviaux et céphalo-rachidien représente environ 15 % du poids du corps. L'eau plasmatique 5 %.

PRESSION OSMOTIQUE

L'eau de l'organisme passe incessamment du compartiment extracellulaire au compartiment intracellulaire. L'excrétion s'effectue rapidement et par conséquent le renouvellement. En quelques minutes on retrouve dans l'urine de l'eau lourde qui vient d'être ingérée. Les échanges sont réglés par un phénomène très important, tant dans le règne animal que végétal : la pression osmotique.

Le phénomène d'osmose a été observé pour la première fois par Pfeffer. Il nota que certaines membranes se laissent traverser par l'eau d'une solution et non par les sels dissous qu'elle renferme. « Il en résulte que si l'un des côtés de la membrane est en contact avec de l'eau pure et l'autre avec une solution, il y a passage de l'eau pure vers la solution au travers de la membrane. »

La pression osmotique est donc mesurée par la pression exercée sur une membrane semi-imperméable par une solution dont le solvant peut traverser la membrane et tendre vers l'équilibre entre les solutions de part et d'autre.

Les membranes cellulaires ou le dispositif qui limite le liquide intracellulaire se comporte comme une membrane semi-imperméable. En réalité, il ne s'agit pas de membrane — ce mot est employé par abus de langage — mais d'un processus régulateur physico-chimique, propre à attirer ou à repousser avec l'opportunité qui convient pas seulement le solvant, c'est-à-dire le liquide, l'humeur, l'eau, mais des particules chargées électriquement ou ions. Ce distinguo est important, étant donné que parler de membrane évoque l'inertie, alors que la cellule est une entité vivante qui utilise en permanence de l'énergie, et ne cesse d'être le siège de ces phénomènes qu'à partir du moment où elle meurt.

Sans doute, la concentration osmotique de part et d'autre de la cellule tend à être égale, selon les lois de la physique, mais la composition des liquides ou solution reste différente ; sinon il n'y aurait pas de vie possible. C'est ainsi que le chlorure de sodium ou sel est l'électrolyte principal du milieu extracellulaire alors que le potassium prédomine dans l'intracellulaire.

Rappelons que les électrolytes sont des corps composés qui, dissous dans l'eau, se chargent électriquement, phénomène dit de ionisation. Le sodium et le potassium ont des charges positives et sont appelés pour cette raison *cations*. Les bicarbonates, protéinates, phosphates, le chlore ont des charges négatives ; ce sont des *anions*.

L'eau cellulaire renferme trente fois plus de potassium que l'eau extracellulaire et seulement le quinzième de sodium. Si l'on était en présence d'une membrane semi-imperméable, les solutions parviendraient à l'équilibre mais, parce que la vie est une tension permanente, une résistance à l'entropie ou dégradation vers l'équilibre absolu, le déséquilibre entre les deux solutions doit exister.

Les biologistes tentent de rendre compte du phénomène par l'existence de la *pompe à sodium* ou réaction d'élimination active du sodium qui pénètre passivement dans les cellules, ou par le *système de la charge fixe* de Lunig caractérisé par l'attraction du potassium par des corps chargés négativement et riches en adénosine triphosphate. Quoi qu'il en soit des processus, ils donnent lieu au maintien de concentrations différentes de part et d'autre de la cellule, dans des limites très strictes qui conditionnent non seulement l'état de santé, mais la vie organique.

Un apport de chlorure de sodium ou sel augmente la concentration du liquide interstitiel. Cette augmentation a pour effet d'entraîner rapidement un déplacement d'eau de l'intérieur des cellules vers l'extérieur, d'où une déshydratation cellulaire et une augmentation du volume du liquide extracellulaire, avec élévation de la concentration osmotique pour l'ensemble des liquides.

Une perte de chlorure de sodium sans diminution de la quantité d'eau produit l'effet inverse ; déplacement de l'eau extracellulaire à l'intérieur de la cellule d'où une hyperhydratation cellulaire et diminution de la concentration osmotique. C'est la déshydratation par manque de sel.

Si vous supprimez la boisson en maintenant à son même

niveau l'alimentation, il y a donc concentration de sel dans le milieu interstitiel, d'où transport de l'eau intracellulaire vers l'extracellulaire et déshydratation des cellules.

Dans le cas où il y a fuite du potassium sans perte de sodium, c'est le même phénomène qui se produit.

OBÉSITÉ ET EAU

Jusqu'ici il n'a pas été question d'obésité et d'interférence de l'eau et des liquides ni d'intervention des adipocytes dans la rétention de l'eau. Et pourtant non seulement le grand public, mais aussi des médecins font état d'obésité par rétention d'eau. Je le souligne à nouveau, c'est confondre excès de corps gras, qui caractérise l'obésité, avec l'œdème ou phénomène d'hyperhydratation extracellulaire évoqué ci-dessus.

Pendant plusieurs années, l'obésité spongieuse fut très à la mode. Des femmes en grand nombre étaient à la fois rassurées et quelque peu satisfaites d'être ainsi transformées en éponge. Dès lors, le régime semblait facile : plus d'eau, plus de sel et des diurétiques. Cela a abouti à des désastres, et il nous faudra mettre sérieusement en garde nos lecteurs et notamment les lectrices contre les dangers des diurétiques.

Pour le moment restons-en à l'eau et à la nécessité d'en recevoir la quantité indispensable à l'intégrité. L'eau de boisson, l'eau potable, outre son rôle biologique, a une importance déterminante dans les phénomènes d'épuration, de désintoxication. La plupart des gens et notamment les obèses, ont une ration d'eau insuffisante. D'aucuns se vantent à cet égard de leur sobriété. Boire très peu d'eau passe à leurs yeux pour une vertu hygiénique. C'est tout le contraire : boire très peu d'eau est la grande faute par défaut. Une faute majeure.

Nous venons de voir qu'entre le plasma et le milieu intérieur se produisent les échanges des corps en solution sous l'action, d'une part, des électrolytes et notamment du chlorure de sodium qui réalisent la pression osmotique et, d'autre part, de l'appareil cardio-vasculaire qui détermine une pression hydrostatique. Nous avons vu également que les échanges d'eau et de nutriments s'effectuent entre les cellules et le milieu intérieur ou interstitiel.

*
* *

Pour que l'élimination des déchets de la nutrition se produise dans des conditions optimales, autrement dit pour que le milieu intra et extracellulaire et le plasma ne soient pas encombrés de produits indésirables et nocifs, il ne faut jamais oublier qu'une calorie ingérée, s'il m'est permis de m'exprimer ainsi, appelle l'absorption d'un millilitre d'eau.

Cela revient à dire que si votre alimentation quotidienne vous apporte 1.800 calories, vous devez recevoir 1,8 litre d'eau. Non pas uniquement sous forme de boisson, car les aliments consommés, même ceux réputés secs contiennent de l'eau. En moyenne les aliments ingérés couvrent le tiers des besoins hydriques ; le neuvième provient des synthèses de l'organisme ; l'eau de boisson doit représenter 1,8 environ du besoin total.

Par exemple dans le cas d'une ration quotidienne correspondant à 1.800 calories, le besoin global d'eau étant de 1,8 l, la quantité d'eau à recevoir sera de l'ordre de

$$\frac{1,8 \ l}{1,8} = 1 \ litre.$$

Dans cette ration optimale, il faut tenir compte des potages, du café ou du thé, du vin bu à table. Le reste doit être constitué obligatoirement par de l'eau potable.

Bien évidemment, il s'agit de la ration optimale qui peut et doit être dépassée en cas d'effort, de sudation, d'élévation de la température extérieure.

D'autres précisions seront données dans la partie qui traitera de l'alimentation.

CELLULITE

Les considérations précédentes sur l'eau nous amènent à traiter de la cellulite. D'aucuns considèrent cette affection comme un mythe. Il n'empêche qu'elle a donné lieu à de nombreux écrits et à des traitements variés depuis 1920. C'est en effet au cours de cette année que des auteurs lyonnais, Alquier et Paviot ont utilisé ce terme pour la première fois.

Les dermatologues qui se sont attachés à cette maladie la tiennent pour l'inflammation du tissu conjonctif. Il s'agit, en réalité d'une infiltration qui réalise un état capitonné et douloureux, constitué par des surcharges adipeuses plus ou moins importantes ; adiposités renfermant du cholestérol, des acides gras, des glucides sous forme de glycogène.

Les dernières investigations tendent à prouver que le terme cellulite est impropre, étant donné que, s'il y a infiltration, il n'y a pas d'inflammation. La réaction douloureuse au contact, à la pression, s'explique par la surcharge adipeuse qui distend les tissus, tend les tractus fibreux qui vont du derme aux plans profonds. Etat douloureux souvent aggravé par des massages intempestifs qui rompent les tractus.

La cellulite est donc une affection cliniquement bien caractérisée. C'est une atteinte inesthétique menaçant sérieusement l'aspect morphologique de la femme. C'est aussi un trouble lésionnel du tissu conjonctif qui, ne l'oublions pas, joue un rôle actif et est tenu, par les biologistes, pour un des tissus les plus importants de l'organisme.

Selon certains auteurs, la cellulite peut encore être de

type rhumatismal correspondant à des processus réactionnels fluxionnaires et congestifs. Dans ce cas, l'acide lactique, l'acide oxalique et surtout l'acide urique seraient responsables de l'affection.

Les détracteurs de la cellulite, les auteurs qui affirment qu'il s'agit d'un mythe opposent que les prélèvements de tissu cellulitique n'ont rien montré d'anormal. Les dépôts qui apparaissent lorsque l'on pince une région atteinte, et les sortes de petites nodosités que l'on sent sous les doigts ne seraient en fait que des lobules adipeux.

La cellulite ne correspondrait en fin de compte qu'à une obésité particulière de type gynoïde.

Selon d'autres auteurs, cette obésité cellulitique serait la conséquence d'un déséquilibre hormonal. Bien que cette certitude ne soit pas encore acquise, deux points militent en faveur de cette thèse :

• le fait que les femmes sont exclusivement atteintes ;

• la manifestation ou l'aggravation de l'affection au cours de la puberté féminine, du flux menstruel, de la grossesse, de l'avortement spontané ou provoqué, de la ménopause.

Les chercheurs inclinent à penser qu'il s'agit d'un déséquilibre des hormones génitales et plus particulièrement de la folliculine.

« L'interrogatoire d'une femme cellulitique, écrit J.-Ch. Fage, permet en règle générale de retrouver les éléments du syndrome dit hyperfolliculinique ; syndrome prémenstruel fait du gonflement des seins et du ventre, poussée d'hydrophylie, marquée par une prise de poids et une augmentation de la cellulite. »

Les hormones féminines ne seraient pas seules en cause. Un trouble léger de la sécrétion des cortico-surrénales, notamment chez les jeunes jouerait un rôle important. On sait, en effet, que l'administration de cortisone induit une obésité du type cellulitique.

Le rôle de la thyroïde est également signalé puisque les hormones thyroïdiennes agissent sur le métabolisme des lipides. Une perturbation par défaut ou légère insuffisance dans la sécrétion des hormones thyroïdiennes donne lieu à une augmentation des graisses avec excès de cholestérol et des triglycérides, substances graisseuses retrouvées dans les surcharges adipeuses.

Je n'aurai pas l'outrecuidance de prétendre clore le débat. De toute manière, si la cellulite est d'origine endocrinienne, elle peut donc être assimilée à l'obésité endocrinienne qui sera traitée plus loin. Mais la rétention d'eau n'a rien à voir dans cette affection, pas plus que dans l'obésité dite spongieuse.

D'autre part, si la cellulite était une réaction de l'organisme aux toxines qui l'envahissent, les règles hygiéno-diététiques que je développerai dans la deuxième partie de ce livre à propos des différentes obésités seraient applicables à la cellulite.

TRAITEMENTS

Les traitements médicamenteux particuliers de la cellulite appellent la plus grande réserve. Deux produits ont été et sont encore utilisés : *l'hyaluronidase* et la *thiomucase*.

L'hyaluronidase est un facteur de diffusion. C'est une enzyme dépolymérisante, c'est-à-dire apte à réduire en molécule plus simple l'acide hyaluronique du tissu conjonctif.

L'injection de ce produit à l'intérieur des placards cellulitiques, outre qu'elle provoque une sensation douloureuse nécessitant l'adjonction de novocaïne, expose à la diffusion d'agents infectieux, en raison même de son pouvoir de diffusion, et à la dissémination dans l'organisme d'éléments cellulaires anormaux bloqués dans le tissu conjonctif en vue de leur destruction.

Même réserve à propos de la thiomucase. Les injections de ces produits peuvent déterminer des hématomes et des réactions inflammatoires.

Certains auteurs préconisent l'*héparine*. On sait que l'héparine est un anticoagulant. Je n'ignore pas qu'elle est injectée uniquement dans les placards cellulitiques. Il n'empêche que le produit diffuse et ne peut pas ne pas troubler la formation de la thrombine. Il est donc à cet égard indésirable. De plus, il est pratiquement sans efficacité dans le traitement de la cellulite.

HOMÉOPATHIE

Cette méthode thérapeutique s'est intéressée à la cellulite et a obtenu des résultats parfois définitifs. Voici un exemple de traitement que je dois à l'obligeance du docteur André Reynalt :

● *Natrum sulfuricum* ou sulfate de sodium est, en ce qui concerne l'obésité, le remède des hydrogénoïdes qui désigne dans le jargon homéopathique, l'augmentation de la teneur en eau des tissus, entraînant le ralentissement des échanges.

● *Natrum carbonicum* ou carbonate de sodium convient au sujet mal à l'aise en été, qui a tendance, comme disent certaines femmes, « à enfler dès qu'il fait chaud et humide ».

Natrum carbonicum et *Natrum sulfuricum*, associés dans le même traitement, favorisent l'élimination de l'eau dans les tissus infiltrés des hanches, fesses, cuisses, bras.

Natrum sulfuricum 7 CH, trois granules à jeun à alterner un jour sur deux avec *Natrum carbonicum* 7 CH, trois granules à jeun.

● Pour améliorer la diurèse, *Apis* 4 CH ou mieux *Nephrine* 4 CH, deux granules par jour à deux heures d'intervalle de Natrum.

*
* *

Pour le cas où l'infiltration graisseuse domine, prendre à la place de *Natrum carbonicum*, donc le lendemain de *Natrum sulfuricum*, *Thuya* 7 CH, trois granules à jeun.

Dans le but de rétablir l'équilibre des sécrétions hormonales ou endocrines, l'opothérapie homéopathique est de règle, le médecin prescrira *Folliculinum* ou hormone sécrétée par le follicule de Graaf de l'ovaire, en 9 CH. Le remède doit être pris au cours de la phase folliculinique pendant cinq jours à dater du dernier jour des règles, à la dose de deux granules par jour, le soir en se couchant, une heure au moins après le dîner.

Se garder de prescrire *Lutein* qui est l'antagoniste de *Folliculinum*.

En revanche, lorsque les poussées cellulitiques accompagnent des irrégularités du flux menstruel, certains auteurs, et je partage entièrement leurs vues, recommandent *Hypophyse* 9 CH. Si, aux irrégularités, s'ajoute un état douloureux, il faudra prescrire, en plus, *Pulsatilla* 5 CH, deux granules de chaque en alternance.

Voilà donc quelques vues sur les ressources homéopathiques qui sont loin d'être épuisées. Le praticien consulté modifiera ce traitement, compte tenu de la personnalité de la patiente, en recourant si nécessaire à d'autres remèdes.

Nous verrons, en donnant des exemples de traitements homéopathiques de l'obésité, que certains remèdes seront également repris.

Les simples ont aussi leur indication. Ce sont les mêmes remèdes que ceux qui seront mentionnés pour réduire l'obésité.

ÉLECTROTHÉRAPIE

L'utilisation des courants de moyenne fréquence constitue un auxiliaire important du traitement de la cellulite.

L'électrothérapie ondulatoire agit en profondeur, améliore la vaso-dilatation périphérique, décuple ainsi la possibilité d'évacuation des déchets accumulés dans le tissu conjonctif et responsables de la cellulite.

Ces courants provoquent une véritable et bienfaisante fièvre locale qui attire les leucocytes ou globules blancs, auxiliaires indispensables de la détoxication. En même temps, les globules rouges sont attirés, phénomène qui favorise l'apport de l'oxygène indispensable à la nutrition des tissus et à l'oxydation des déchets.

Le docteur Biancani a, d'autre part, conçu des courants médiaphérétiques mis au point ensuite par le docteur Cariel :

« Ces courants unidirectionnels et polarisés, écrit-il, modulés en courte et longue période, dont la pente et les rythmes ont été spécialement adaptés au traitement de cette pathologie, présentent les avantages suivants :

« *Leur forme.* L'intensité durant la phase de repos descend juste en dessous du seuil de sensibilité cutanée sans jamais s'annuler puisqu'elle demeure de 20 à 40 % de sa valeur maximale.

« De telle sorte que l'action ionisante est permanente et dans le cas le plus habituel d'une application où les temps de travail et de repos sont d'égale valeur, la durée d'action sera deux fois plus importante qu'avec les courants redressés usuels. Il en résulte, comme conséquence importante, une augmentation évidente de l'efficacité et corrélativement une diminution de la durée des cures.

« Leur innocuité et leur parfaite tolérance autorisent l'usage d'intensités élevées, ce qui permet le traitement de surfaces corporelles étendues.

« A l'effet ionisant s'associe un effet excito-moteur puissant et profond qui a pour effets :

• une mobilisation rythmée de la peau et de la musculature sous-jacente qui sont aussi tonifiées ;

• une importante stimulation du fonctionnement vasculaire se traduisant par un accroissement du flux circulatoire, en particulier veineux, et la réduction rapide des troubles habituellement liés au déficit de la circulation de retour des membres inférieurs (jambes lourdes, fatigables, œdématiées, voire douloureuses lors de l'effort ou de la station debout prolongée) ;

● une meilleure diffusion du produit ionisé ;

● enfin, un effet réflexogène, par stimulation des terminaisons sensorielles cutanées, d'une indispensable activité réductrice sur le tissu adipeux (1). »

*
* *

Il a été question dans cette citation d'**ionisation.** Cette technique consiste à faire pénétrer à travers la peau une série de produits médicamenteux et d'ions. Par exemple dans le traitement de la cellulite, une solution préparée avec des dérivés thyroïdiens.

On peut également employer une solution d'hyaluronidase appliquée au pôle +, ou une solution de thiomucase placée au pôle —, (voir nos réserves ci-dessus à propos de ces deux remèdes allopathiques).

Rappelons qu'un ion est une particule chargée électriquement, formée d'un atome ou d'un groupe d'atomes ayant perdu ou gagné un ou plusieurs électrons.

*
* *

L'électrothérapie devrait se pratiquer à la suite des massages. Ceux-ci sont décrits dans le traitement de l'obésité après le chapitre de la diététique.

Les massages sont très utiles pour aider à réduire les placards cellulitiques et les amas graisseux. C'est par eux qu'on amollit les uns et les autres, les rendant ainsi plus facilement mobilisables, en vue de leur élimination.

---

(1) L. Cariel. Gazette Médicale de France. Tome 80 n° 7 - Paris.

APPÉTIT ET SURCHARGE

Le chapitre précédent nous a donné quelques notions de la nature du tissu adipeux, de la captation des acides gras, et de la transformation des sucres en graisse ou lipogenèse. Nous savons en outre que l'eau n'a rien à voir avec l'obésité, contrairement à un solide préjugé, et qu'elle est indispensable à l'équilibre organique.

Il nous faut voir maintenant par quel processus une surcharge adipeuse débute et se développe, problème qui nous confronte au mécanisme de l'appétit.

Le terme appétit vient du latin *appetitus*, désir, dérivé du latin *appetere*, convoiter. Le désir en général, bon ou mauvais. Bossuet nous invite « avoir appétit de pain céleste ». Il existe aussi l'appétit amoureux. Ainsi dans Paul et Virginie : « Paul et elle, s'amusaient avec transport de leurs jeux, de leurs appétits et de leurs amours. »

Ici, nous n'avons à nous occuper que de l'appétit de manger, sinon de l'appétit de boire qui n'intéresse pas l'excès d'embonpoint. Désir légitime. Il convient de se mettre à table de bon appétit pour satisfaire le besoin de se nourrir. C'est là un signe de bonne santé. Qui perd l'appétit est malade. Malade du corps ou de l'esprit ou des deux à la fois. Esprit et corps qui font l'indissoluble personnalité humaine. Le désir de manger, transformé en plaisir a donc une double composante psychique et physiologique. Dès que le taux de glycémie ou quantité de sucre dans le sang s'abaisse, le mécanisme de l'appétit se met en marche. J. Mayer a montré dans sa *théorie glucostatique* qu'à partir du moment où la différence entre la teneur en glucose du sang artériel et celui du sang veineux tend vers le zéro, l'information est transmise aussitôt aux centres nerveux. Mais cette différence appelée *delta-glucose*, quand elle est élevée, marque que du glucose est à la disposition des cellules et, dans ce cas, le signal déclencheur de l'appétit n'est pas transmis.

Il ne faut pas confondre l'annulation de la différence entre le taux de glucose artériel et veineux avec l'hypoglycémie ou chute du taux de glucose sanguin. L'hypoglycémie donne lieu à des malaises, des vertiges, des signes morbides, tandis que la différence tendant vers zéro provoque par voie réflexe la sensation de faim avec crampes d'estomac.

De toute manière, même si les taux de glucose artériel et sanguin sont éloignés, la sensation de faim ne s'en produit pas moins par l'impression de crampes au niveau de l'épigastre, associée à des impressions désagréables, et qui donnent lieu parfois à une certaine nervosité. Ces phénomènes expriment le déficit de nutriments qui apparaît dans les cellules et notamment des nutriments énergétiques. L'intervention de l'insuline hormonale sécrétée par les îlots de Langerhans joue, comme on le sait, un rôle déterminant dans l'assimilation du glucose et provoque de ce fait un appétit marqué pour les glucides.

Les hormones sécrétées par la périphérie des glandes surrénales ou glandes cortico-surrénales, hormones cortisone et cortisol appelées glucidoprotidiques, induisent à l'euphorie, excitent les sécrétions gastriques, provoquent la diminution du phénomène delta-glucose, et entraînent, du même coup, le désir impérieux de manger.

Des facteurs externes agissent en outre sur l'appétit, notamment la température : le froid tend à l'augmenter traduisant ainsi un besoin de calories supplémentaires ; tandis que la chaleur tend à le diminuer. D'autres facteurs à composante plus psychologique existent : les odeurs, les couleurs, l'aspect des couverts et leurs bruits qui excitent l'appétit quand, bien entendu, ils sont agréables. De même, l'évocation de la nourriture et des réflexes conditionnés mis en évidence par Pavlov.

Je viens d'évoquer ci-dessus, tour à tour, la faim et l'appétit. En principe les auteurs font la différence entre l'une et l'autre. Si l'appétit est caractérisé par le désir de manger, la faim l'est par le besoin de se nourrir. De là un distinguo subtil. La faim se manifeste par des sensations désagréables, des crampes, voire des douleurs. L'appétit, pour ce qui concerne notre propos serait donc une faim agréable, assouvie dans le plaisir de l'ingestion d'aliments désirés. En vérité, la séparation est difficile. Quand on dit, en Occident, dans nos pays et actuellement « j'ai faim », cela signifie que l'on a de l'appétit. Si bien que si des mets servis ne plaisent pas, l'appétit diminue voire même s'efface.

C'est que la faim, dans son acception première, traduit le déséquilibre alimentaire, c'est-à-dire l'insuffisance qualitative ou la sous-alimentation provoquée par l'insuffisance quantitative.

Les obèses doivent y songer, eux qui ne connaissent ni l'une ni l'autre, et pâtissent de leurs excès, comme nous le verrons dans le chapitre approprié.

Nous négligerons donc ici le distinguo et resterons au plan de l'appétit stimulé par les facteurs mentionnés ci-dessus, et freiné au contraire par les facteurs négatifs. Ainsi la réplétion gastrique neutralise le désir, neutralisation amorcée par la mastication et les mouvements péristaltiques de l'intestin, et l'augmentation de la différence entre les taux de glucose artériel et veineux.

Les récepteurs de ces différents facteurs transmettent ces stimulations par voies nerveuse et humorale dans le rhinencéphale ou cerveau primitif, et l'hypothalamus en connexion avec l'hypophyse où siègent les centres supérieurs du système neuro-végétatif. De là partent les messages qui gagnent le cortex et se traduisent en terme d'appétit ou de satiété.

Entre l'appétit brut et la satiété interviennent des nuances. L'appétit global étant comblé, on aura alors l'appétit pour un aliment particulier à l'exclusion des autres. Les goûts, les habitudes, les modèles raciaux, familiaux, surtout le modèle maternel modifient sensiblement l'appétit, la joie de manger, phénomène qui met particulièrement en évidence l'intervention du cortex, infrastructure de la conscience, support du psychisme.

*
* *

Pour conclure ce chapitre, nous dirons que le mécanisme de l'appétit est un dispositif naturel très complexe qui devrait être parfaitement réglé d'après les besoins de l'organisme. Hélas, ici comme en d'autres domaines, la liberté de l'homme intervient et fausse l'équilibre initial, soit par défaut, dans le cas de l'anorexie mentale ou de la ligne mannequin à tout prix, soit par excès, et c'est le problème qui nous occupe ici.

Ce dérèglement par excès a parfois et même souvent ses racines dans les familles de gros mangeurs, jusque dans l'enfance, quand les mères confondent bébé obèse et bébé en bonne santé.

Chez certaines personnes, le détraquement de l'appétit commence à la puberté. Il est normal au cours de ce climatère, où l'organisme est le lieu de transformations extrêmement importantes, que l'appétit augmente considérablement. Mais une fois les transformations achevées, entre vingt et vingt-cinq ans, il importe dès lors de modérer son appétit. Autrement dit, il s'agit de prendre d'autres habitudes alimentaires. Il est clair que, si les besoins étant moindres, le sujet absorbe les mêmes quantités de nourriture, la surcharge devient inévitable.

On peut donc dire que c'est entre vingt-cinq et trente ans au maximum que la volonté doit intervenir afin de fixer le comportement alimentaire à un niveau normal, autrement dit de régler son appétit sur ses besoins réels et non pas sur ses désirs et sa gourmandise.

Cette règle doit être observée tout au long de la vie. Une règle impérieuse de bonne santé. Une règle difficile, ne le cachons pas.

POIDS SOUHAITABLES

Excès d'appétit égale excès d'embonpoint. L'équation est simple, mais nous verrons qu'il faudra lui apporter quelques corrections.

Excès d'embonpoint, mais excès par rapport à quoi ? Sans aucun doute par rapport aux mensurations ; en d'autres termes le rapport poids-taille.

Il existe une formule simple dont l'auteur est inconnu, et que d'aucuns attribuent à la sagesse populaire : le poids idéal serait exprimé par la conversion en kilos de sa taille en centimètres moins cent.

Poids idéal P I = T — 100.

Cette équation a un défaut : elle ne tient compte ni du squelette, ni de la musculature, ni de l'âge de l'intéressé.

*
* *

Pende a proposé le rapport : taille exprimée en centimètres, et poids en kilos. Il y a début d'obésité quand ce rapport est inférieur à 2,4.

Par exemple un homme de 1,75 m pesant 73 kg a le rapport suivant $\dfrac{T}{P} = \dfrac{175}{73} = 2,3$.

Rapport qui, selon cet auteur, amorce un léger excès. Mais cette formule présente le défaut de pénaliser en quelque sorte les personnes de grande taille. C'est ainsi qu'un sujet de 1,60 m peut avoir comme poids limite 66,6 kg, alors que l'homme de 1,80 m ne doit pas dépasser 75 kg.

*
* *

Lorentz reprend la formule T — 100 corrigée par la
soustraction $\dfrac{T — 150}{4}$ ou — 0,25 (T — 150). Cette formule
s'applique comme suit :

T en cm — P en kg — 0,25 (T — 150).

Ce qui donne pour un homme de 1,75 m pesant 75 kg :
175 — 75 — 0,25 x (175 — 150) = 100 — 0,25 x 25 = indice
93,75.

Pour une femme de 1,65 m pesant 65 kg, le résultat avec
la même formule :
165 — 65 — 0,25 x (165 — 150) = 100 — 0,25 x 15 = indice
96,25.

Pour Lorentz, quand le résultat obtenu par sa formule est
inférieur à 100, il y a obésité. Cette formule est donc encore
plus arbitraire que la précédente. Elle ne tient pas compte
elle non plus des différents types, et avantage les sujets de
petite taille. C'est ainsi que pour un poids correspondant
dans les deux cas à la taille moins 100 (T — 100), la personne
de 1,65 m a un incide plus favorable que celle de 1,75 m.

Si on applique la formule de Lorentz avec l'équation ci-
après :

$$T — 100 — \frac{(T — 150)}{4} = \text{poids idéal,}$$

le chiffre obtenu ne peut être retenu comme poids idéal
universel. Loin de là. Ainsi nous obtenons dans les deux cas
précités :

$$175 — 100 — \frac{(175 — 150)}{4} = 68 \text{ kg } 750.$$

$$165 — 100 — \frac{(165 — 150)}{4} = 61 \text{ kg } 250.$$

Nous ne donnons donc cette formule qu'à titre d'information.

*
* *

D'autres auteurs ont proposé une autre équation qui fait intervenir le tour des poignets indiqué par la lettre C :

$$\frac{T - 100 + 4\,C}{2} = \text{P. I. (poids idéal).}$$

Là encore la formule n'est pas pratique et ne peut avoir une signification rigoureuse.

Le mieux est de se baser sur le rapport entre le poids et la taille ; rapport corrigé par l'importance du squelette, le sexe et l'âge.

C'est en tenant compte de ces réalités que nous avons établi les tableaux ci-après.

POIDS SOUHAITABLE
ÉVOLUTION CHEZ L'HOMME

Age →		15 à 19	20 à 29	30 à 39	40 à 54	55 à X
Taille		kg	kg	kg	kg	kg
1,55	sl	51	52	54	55	56
	sm	52	54	55	56	58
	sf	53	55	56	58	61
1,60	sl	53	55	58	60	61
	sm	54	56	59	61	62
	sf	56	58	61	64	65
1,65	sl	56	59	61	63	65
	sm	58	60	62	65	67
	sf	60	62	64	67	69
1,70	sl	60	63	65	67	69
	sm	62	65	67	69	71
	sf	64	67	69	71	73
1,75	sl	63	66	69	71	73
	sm	65	68	70	73	75
	sf	66	70	72	76	77
1,80	sl	68	70	73	75	78
	sm	70	72	75	78	80
	sf	72	74	77	80	82
1,85	sl	70	73	76	79	82
	sm	72	75	78	81	85
	sf	74	78	80	83	87
1,90	sl	75	80	84	86	89
	sm	78	82	86	88	91
	sf	81	85	89	90	94

POIDS SOUHAITABLE
ÉVOLUTION CHEZ LA FEMME

Age —>		15 à 19	20 à 29	30 à 39	40 à 54	55 à X
Taille		kg	kg	kg	kg	kg
	sl	45	47	49	52	54
1,50	sm	47	49	51	54	56
	sf	49	51	53	56	58
	sl	48	50	52	54	55
1,55	sm	50	52	54	56	57
	sf	52	54	56	58	60
	sl	52	54	56	58	60
1,60	sm	54	56	58	60	62
	sf	56	58	60	62	64
	sl	55	57	59	61	63
1,65	sm	57	59	61	63	65
	sf	59	61	63	65	67
	sl	58	60	62	65	67
1,70	sm	60	62	64	67	69
	sf	61	64	66	69	71
	sl	62	64	66	69	72
1,75	sm	64	66	69	72	74
	sf	66	68	71	74	76
	sl	67	69	71	74	76
1,80	sm	69	71	73	76	78
	sf	71	73	75	78	80

sl = squelette léger — sm = squelette moyen — sf = squelette fort

OBSERVATIONS

Ces tableaux appellent différentes observations et d'abord que le poids doit être apprécié suivant le sexe, la taille, l'importance du squelette et l'âge.

Les chiffres mentionnés correspondent, je le souligne à nouveau, à une évolution souhaitable du poids. C'est donc autour de ces chiffres que vous devez évaluer votre obésité. La progression du poids suivant l'âge ne doit jamais être rapide ni excessive. Autrement dit, il ne faut pas trop s'écarter du poids de sa jeunesse. C'est le meilleur moyen de rester dynamique et de conserver des atouts de bonne santé.

L'échelle de taille va de cinq en cinq centimètres afin de ne pas alourdir ces tableaux. Il est facile par une règle de trois d'établir son poids souhaitable pour les tailles intermédiaires.

A partir de ces poids souhaitables, on pourra se considérer comme atteint d'obésité si son propre poids accuse un dépassement de l'ordre de 15 %, entre 15 et 29 ans, et de 10 %, à partir de 35 ans.

C'est ainsi qu'un homme de vingt-huit ans, d'une taille de 1,80 m, squelette moyen, pesant 82 kg est sur la voie de l'obésité.

De même pour une femme de 1,65 m, cinquante ans, squelette léger, pesant 70 kg.

D'une façon générale et contrairement à l'opinion courante, un dépassement par rapport au poids souhaitable est bien supporté jusqu'à trente, trente-cinq ans. C'est au-delà de cet âge, compte tenu de l'inévitable empâtement, qu'il importe de se surveiller.

Je le souligne à nouveau, tant ce point est important : il est dangereux à partir de trente-cinq ans de creuser l'écart entre son poids actuel et celui de sa jeunesse.

Si l'embonpoint est bien toléré quand on est jeune, ce n'est certes pas une raison pour se laisser aller à l'obésité. Les mauvaises habitudes sont difficiles à perdre ensuite, et il est plus facile d'accumuler les kilos inutiles que de les perdre.

Selon certains auteurs, Fisk en particulier, on ne devrait pas augmenter de poids après trente ans. L'expérience prouve cependant qu'une telle stabilité est rarissime. Elle est en contradiction avec les faits. J'estime donc que s'il faut veiller à ne pas creuser l'écart avec le poids de sa jeunesse, il serait dangereux de vouloir s'y cramponner.

Gardons-nous des règles absolues. N'ayons pas la religion ou pire la superstition des chiffres. Même ceux mentionnés dans les tableaux ci-dessus ne doivent pas être interprétés avec rigidité. Il est bon, sans aucun doute, l'expérience en témoigne, de se situer dans la fourchette indiquée, mais si la limite supérieure des 15 ou 10 pour cent, selon l'âge, est dépassée, le critère à observer est le dynamisme du sujet.

Je m'explique. Dans le cas par exemple d'une femme de quarante ans, 1,70 m, squelette fort, pesant 74 kg, elle a donc un excédent d'environ 8 % par rapport au poids souhaitable de 69 kg. Si en suivant un régime basses calories, cette femme descend à 70 kg en conservant tout son allant, c'est fort bien. Par contre, si elle perd son dynamisme, elle doit pour le retrouver revenir à un poids supérieur.

Le critère du dynamisme est très important dans les limites répétons-le de 10 % au-dessus, si une ou un obèse n'a de l'allant, de la joie de vivre, qu'avec une obésité de 30 a fortiori de 40 pour cent, il y a là anomalie qu'il importe d'identifier. Ici le rapport entre l'obésité et le dynamisme ressortit à l'autosuggestion. L'anomalie est souvent d'origine psychique.

Donc pas de fixation sur les chiffres, mais à l'opposé pas d'écarts excessifs par rapport aux taux des dépassements indiqués plus haut.

PLI CUTANÉ

La méthode d'appréciation la plus directe de l'obésité, à côté du poids, est la mesure du pli cutané. A cet égard J. Mayer a eu raison d'écrire « étant donné qu'environ la moitié de l'excès de graisse se dispose directement sous la peau, la vieille technique clinique de mesure du pli cutané — avec ou sans pied à coulisse — est l'équivalent simple et bon marché de la pesée en immersion... »

Voici les zones utilisées le plus couramment par le médecin pour effectuer cette mesure :

● La peau du thorax à trois ou quatre centimètres du mamelon dans la position couché sur le dos ou décubitus dorsal.

● La peau du thorax sur la ligne axillaire ou ligne des aisselles, à la hauteur de l'appendice xiphoïde ou partie inférieure du sternum, le sujet étant couché sur le côté gauche ou position en décubitus latéral gauche.

● La peau de l'abdomen sur la ligne ombilic crête iliaque antéro-supérieure ; cette ligne étant divisée en trois, faire le pli à un tiers du nombril.

● La peau de la face postérieure du bras, au milieu, coude à demi fléchi ; le patient doit être couché sur le ventre ou décubitus ventral, le coude à demi fléchi, le bras reposant sur la table et l'avant-bras pendant.

L'appréciation du pli cutané sur ces différentes zones s'effectue en prenant un pli vertical.

Chez l'homme, l'épaisseur du pannicule varie de 5 à 8 mm, et chez la femme de 10 à 30 mm, parce que chez elle le tissu graisseux sous-cutané est normalement et nécessairement plus épais, ainsi que nous l'avons vu. Si le pannicule graisseux subsiste et qu'il y a amaigrissement, on peut être sûr que la musculature et le squelette ont été atteints.

OBÉSITÉ ET DANGERS

Les dangers de l'obésité sont aujourd'hui universellement admis. C'est que l'infiltration du tissu adipeux ne nuit pas seulement à l'esthétique. Il ne s'agit pas uniquement d'une augmentation des graisses de couverture. Les dépôts graisseux s'insinuent entre les vaisseaux, dans les interstices qui les séparent. Les lipides s'accumulent autour du cœur et des grosses artères. Le foie augmente de volume par suite de la surcharge graisseuse qui affecte ses cellules. L'intestin, l'estomac, les reins s'enrobent de graisse.

A l'évidence, le développement du tissu adipeux augmente les besoins en oxygène tant au repos qu'à l'effort. Il en résulte une charge supplémentaire du système cardio-vasculaire. D'où l'augmentation du poids du cœur. Les fibres du muscle cardiaque ou myocardiques se développent très sensiblement et cette hypertrophie atteint plus particulièrement le ventricule gauche. Compte tenu des dépôts de graisse sous-épicardique, c'est-à-dire sous le feuillet viscéral qui recouvre directement le myocarde, le poids du cœur subit une augmentation proportionnelle au degré d'obésité. Cette hypertrophie cardiaque est directement causée par l'accroissement du volume sanguin et l'élévation du débit cardiaque. Chaque contraction du cœur ou systole lance dans la circulation un volume accru de sang.

CONSÉQUENCES RESPIRATOIRES,
CIRCULATOIRES ET CARDIAQUES

L'augmentation de la consommation d'oxygène appelle un accroissement du débit ventilatoire. Malheureusement, par suite de la surcharge graisseuse, le développement du tissu pulmonaire est diminué, et les muscles respiratoires infiltrés de lipides ont un tonus médiocre. De ce fait, le mécanisme respiratoire a un rendement peu satisfaisant.

C'est ainsi qu'à la fin de l'expiration, le diaphragme occupe une position trop haute. Cela a pour effet de diminuer en permanence le volume de réserve expiratoire et une ventilation défectueuse des lobes inférieurs qui subissent un excès de compression.

Chez les grands obèses, l'insuffisance ventilatoire étant très accusée, elle donne lieu au syndrome de Pickwick caractérisé par l'hypoventilation des alvéoles pulmonaires, l'hypertrophie ou l'insuffisance cardiaque droite, la polyglobulie ou accroissement anormal du nombre des globules du sang et particulièrement des globules rouges, et la somnolence.

Ce syndrome de Pickwick s'inspire d'une description de Charles Dickens dans son célèbre roman. L'auteur avait mentionné avec précision les symptômes subis par un des personnages secondaires atteint d'obésité extrême : difficultés respiratoires, cyanose ou coloration livide ou bleuâtre de la peau. Depuis ont été ajoutés les autres signes mentionnés ci-dessus.

En ce qui concerne le cœur, j'ai indiqué plus haut que la fibre cardiaque est infiltrée de graisses. Cette infiltration croît avec le degré d'obésité et à l'extrême la fibre est littéralement étouffée par la surcharge lipidique. En outre, les artères coronaires sont elles-mêmes envahies par les corps gras. Par suite leur lumière est diminuée et la fibre cardiaque, c'est-à-dire le myocarde, le muscle, est de plus en plus mal irriguée.

Ainsi l'ensemble cœur-poumon doit fournir davantage d'effort pour oxygéner le tissu adipeux hyperdéveloppé, et il en a de moins en moins les moyens pour les raisons qui viennent d'être dites. Rien d'étonnant dans ces conditions que l'obésité n'entraîne à elle seule, et sans aucun antécédent, des lésions cardiaques.

L'obésité peut avoir pour conséquence, une insuffisance cardiaque et, bien évidemment, elle aggrave n'importe quelle maladie de cœur.

*
* *

On observe une plus grande fréquence de l'hypertension chez les obèses. Les plus récents travaux font ressortir qu'un excès de poids de 10 kg détermine une élévation de la tension artérielle maximale de 3 mmHg (mercure). Il est évident que cette hypertension associée à la surcharge graisseuse favorise l'infiltration des artères coronaires qui entraîne l'infarctus du myocarde.

Cette liaison entre l'obésité, la coronarite et l'infarctus n'est pas étonnante quand on sait que le taux de lipides sanguins et du cholestérol et de l'insuline plasmatique sont généralement plus élevés que chez les non obèses.

Ce sont les obésités de type androïde qui prédisposent le plus aux coronarites ; obésités caractérisées, rappelons-le, par la prédominance des adiposités à la moitié supérieure du corps et notamment au thorax, au cou, à la nuque, aux bras. Ces types d'obésité se rencontrent chez l'homme et la femme après l'âge climatérique.

*
* *

La circulation de retour pâtit, elle aussi, de l'excès pondéral. En raison de l'augmentation du territoire concernant la même veine, du fait du développement du tissu adipeux, il n'est pas rare qu'une insuffisance veineuse se produise ; elle est caractérisée par l'apparition ou l'aggravation des varices.

En plus des varices, on note, avec une fréquence plus accentuée chez l'obèse, d'autres atteintes veineuses, les ulcères variqueux et la phlébite.

OBÉSITÉ ET DIABÈTE

Les observations du professeur Joslin ont été maintes fois vérifiées, à savoir que si l'obésité n'entraîne pas absolument le diabète gras, on estime qu'un obèse sur deux est atteint de troubles de la glycorégulation. Là encore, ce sont les obèses androïdes qui sont les plus exposés à cette complication, et cela d'autant plus que des antécédents familiaux existent.

Faute d'être traité à temps, le diabète de l'obèse androïde s'aggrave. A plus ou moins long terme et en dépit de l'amaigrissement, il ne peut plus alors être réduit, et le sujet devient insulino-dépendant.

L'obèse est exposé au diabète parce que la synthèse d'une masse importante de lipides entraîne une sécrétion accrue d'insuline. Les îlots de Langherans sont donc soumis à rude épreuve. Ils peuvent la supporter si la capacité pancréatique endocrinienne est élevée. Dans le cas contraire, l'épuisement est atteint plus ou moins rapidement, selon le degré de faiblesse de l'organe.

Mais pourquoi l'obèse androïde est-il plus fréquemment atteint de diabète que le féminoïde ? Différents auteurs supposent que la fréquence du diabète chez l'obèse androïde est liée au développement musculaire de ce type. Ce développement entraîne une plus grande activité, et un renouvellement plus rapide du tissu adipeux que chez l'obèse féminoïde. D'où une synthèse plus fréquente des lipides, et donc une sécrétion croissante de l'insuline.

Ce n'est là qu'une hypothèse. Des chercheurs incriminent également une hyperactivité des glandes surrénales, plus exactement du cortex qui sécrète la cortisone. Il résulte d'observations plus approfondies que cette hypercorticisme n'est cependant qu'une cause mineure de l'apparition et de l'évolution du diabète ; elle n'en est pas moins certaine dans l'obésité androïde contribuant à l'évolution du diabète.

AUTRES COMPLICATIONS

Il existe d'autres complications et notamment les rhumatismes : affections articulaires et rachidiennes. Les unes et les autres sont dues à un trouble des postures ou de la statique, et également à des désordres métaboliques aussi bien chez l'homme que chez la femme. Cependant la *maladie arthrosique* est moins fréquente chez l'obèse androïde, du fait du meilleur tonus musculaire qui retarde les troubles statiques de la colonne vertébrale ou les malpositions articulaires ou déviations axiales.

C'est ainsi que les femmes obèses — féminoïdes — sont exposées à la coxarthrose après la ménopause et aux douleurs rachidiennes. Il est évident que cette forme d'obésité où la masse graisseuse l'emporte sur une musculature hypotonique, où les ligaments articulaires sont relâchés, où l'abdomen privé du soutien d'une bonne sangle abdominale est descendu ou ptosé et distendu, modifie par le fait même la courbure inférieure du rachis, plus exactement l'arc postérieur des dernières vertèbres lombaires qui accuse donc une hyperlordose.

Il n'est pas rare non plus que les obèses n'aient à souffrir de troubles articulaires des genoux ou gonarthrose.

*
* *

Il a été observé enfin une certaine hypertrophie du foie. Nous avons signalé l'infiltration graisseuse des cellules hépatiques, infiltration qui ne va pas sans entraîner une altération des hépatocytes avec risque, à la longue, d'une insuffisance hépatique.

OBÉSITÉS ENDOCRINIENNES

Existe-t-il des obésités induites uniquement par un trouble de la sécrétion des glandes endocrines ? Tout le monde a entendu parler des insuffisances thyroïdiennes, et il me faut bien aborder ce sujet. Mais en réalité si le trouble peut exister, il n'est jamais la cause mais la conséquence de l'obésité. Autrement dit, il s'agit d'une fausse insuffisance thyroïdienne.

Cette obésité, où la carence de la thyroïde est impliquée, est du genre féminoïde ou gynoïde et se caractérise par une tendance à l'apathie, par de la fatigue et une certaine frilosité. En général, cette insuffisance thyroïdienne ou hypothyroïdie relative rétrocède en même temps que l'obésité.

Sans doute, dans ce type d'obésité, si l'on contrôle le métabolisme de base, on observe une baisse par rapport à la normale, mais cette baisse n'est que la conséquence de l'excès de graisse. La thyroxine, hormone sécrétée par la glande thyroïde, stimule l'oxygénation. Or le métabolisme basal se mesure par les échanges respiratoires, autrement dit la consommation d'oxygène. Mais si l'on veut bien considérer que la masse musculaire, grande consommatrice d'oxygène, n'a pas varié au contraire chez l'obèse, on conclura que cette baisse du métabolisme basal n'a aucune signification.

*
**

Certains auteurs ont écrit que l'obésité peut engendrer la maladie de Cushing. C'est, là encore, prendre l'effet pour la cause car il s'agit d'un faux Cushing. On sait que cette maladie est due à une tumeur de la glande cortico-surrénale ou à une stimulation anormale des surrénales par l'A.C.T.H. ou *adreno-cortico-trophichormone*, terme qui désigne, dans le jargon des auteurs anglo-saxons, l'une des hormones sécrétées par le lobe antérieur de l'hypophyse ; elle stimule l'élaboration et la sécrétion de l'hydrocortisone et, à un moindre degré, des hormones androgènes par le cortex surrénalien.

Donc l'hypersécrétion de cortisone détermine une obésité qui prédomine à la face, au cou, au tronc. Mais dans le cas où c'est l'obésité qui est la cause de ce trouble cortico-surrénalien, on ne se trouve pas en présence de la maladie de Cushing mais seulement devant un type d'obésité androïde accompagné de vergetures, d'une certaine élévation de la tension artérielle avec, chez la femme, l'apparition d'une pilosité sur la lèvre supérieure et de la modification, dans le sens masculin, du triangle pubien.

La preuve qu'il s'agit d'un faux Cushing est que ces symptômes régressent dès que le sujet se soumet à un régime basses calories et perd du poids.

On a également accusé l'insuffisance des glandes sexuelles, ovaires et testicules, de provoquer l'obésité. Chez l'homme le rapprochement se fait avec les eunuques. L'émasculation est tenue pour favoriser un embonpoint démesuré, mais ce n'est là qu'un préjugé. Un de plus. Il est vrai que l'insuffisance non pas de la sécrétion exocrine des testicules, c'est-à-dire la fabrication du sperme, mais d'hormones androgènes, et, par contre, l'excès d'œstrogènes sécrétées, chez l'homme, par les surrénales, favorise une obésité gynoïde, proportionnelle au trouble. Cependant, si un régime basses calories est suivi, l'excès pondéral peut être aisément combattu.

Des observations cliniques relevées à cet égard, il résulte que l'insuffisance testiculaire induit une obésité gynoïde, si le sujet mange trop. Le même excès, sans insuffisance testiculaire, aboutit à l'obésité androïde.

*
* *

Chez la femme, les troubles de la sécrétion ovarienne par insuffisance n'entraînent pas, eux non plus, une obésité systématique. On attribue, ici aussi trop souvent, l'embonpoint à une castration ou à la ménopause, alors que l'obésité est due à une alimentation hypercalorique.

C'est toujours le raisonnement *post hoc, ergo propter hoc*, après ceci donc à cause de ceci. « Je grossis après la ménopause, donc mon obésité est due à la ménopause ou arrêt de l'activité ovarienne. »

En réalité, l'accroissement pondéral post-ménopausique est le plus souvent la cause d'un abaissement de l'activité physique, conjugué à une augmentation de la ration calorique : hydrates de carbone ou glucides de compensation.

Quant aux troubles menstruels donnant lieu à une diminution du volume des règles, ou *oligoménorrhée*, à une diminution de leur fréquence ou *spaniatorrhée* ou à leur disparition ou *aménorrhée*, ils ne sont pas la cause de l'obésité, mais bien au contraire l'effet, et le seul traitement de ces troubles relève de la cure amaigrissante quand, bien entendu, le contrôle minutieux de l'hypophyse élimine la possibilité d'une tumeur.

*
* *

Ainsi les obésités courantes ou dites communes ne sont pas liées à des troubles de la sécrétion des glandes endocrines. Il est donc dangereux d'absorber des hormones de synthèse. Je reviendrai sur ce point capital dans le chapitre qui traitera des médicaments.

VRAIE CAUSE DE L'OBÉSITÉ

De l'arrondissement des formes à l'élargissement des hanches et à la proéminence du ventre, le malade peut atteindre le stade pitoyable où le tissu adipeux envahit tout et confine à l'infirmité.

L'évolution est certes relativement lente, mais la morbidité accompagne le patient pour finir par s'exacerber. On passe d'un début d'inconfort à l'essoufflement pour la moindre activité, pour finalement pâtir d'une des affections redoutables évoquées dans les pages précédentes.

Or la principale cause de cette constitution obérante et aberrante réside dans la ration hypercalorique, autrement dit l'excès de nourriture, la suralimentation, la gourmandise.

Les obèses dans leur immense majorité mangent trop. Quelques-uns ou quelques-unes le savent. Beaucoup l'ignorent et manifestent un étonnement réel quand la valeur calorique excessive de leur alimentation est mise en évidence.

Un tel inventaire doit être établi avec précision. Il ne faut pas seulement faire état des principaux repas. Il est fréquent de s'apercevoir que des hommes, des femmes d'activité physique normale absorbent une ration quotidienne dépassant cinq mille calories et certains sujets atteignant même les huit mille. Il est difficile à l'âge adulte, à moins d'être un hyperthyroïdien ou Basedowien de ne pas devenir obèse à plus ou moins long terme, un obèse du stade pitoyable si l'on persiste dans ce genre de suralimentation.

J'insiste sur les aliments pris entre les repas, notamment

auprès des femmes. Il n'est pas rare qu'elles n'absorbent au déjeuner et au dîner que des rations réduites. Malheureusement elles grignotent toute la matinée, goûtent aux plats plus que les nécessités de l'art culinaire le leur imposent et, au cours de l'après-midi, consomment leur thé ou leur café agrémenté de pâtisseries et entre-temps suçotent quelques bonbons.

*
* *

La suralimentation ou hyperorexie **devient une habitude, et l'on s'y installe comme à l'intérieur d'une manie. Souvent toute la famille en est atteinte. Cela devient une obésité familiale d'entraînement, voire une obésité par habitude professionnelle. Les sujets pour ne pas dire les patients passent trop de temps à table. Trop de temps à digérer. Ils ne sont actifs que le matin. L'après-midi ils somnolent plus ou moins, dans les vapeurs de leur interminable digestion.**

Et puis l'expérience établit que plus on mange plus on a envie de manger, et plus on est persuadé que l'excès de nourriture favorise son activité alors que c'est tout le contraire. Certes à l'augmentation des dépenses musculaires doit correspondre une augmentation de la ration calorique, mais passé une certaine quantité, l'effort de l'organisme pour réduire l'excès des apports alimentaires entraîne une telle dépense d'énergie que le sujet fait face de plus en plus difficilement à la dépense d'énergie nécessitée par son travail.

D'autre part, on observe, le plus souvent une diminution de l'activité physique, je l'ai dit ci-dessus, entre quarante-cinq et cinquante ans, mais sans réduction des rations, au contraire. Les obèses questionnés répondent que leur appétit ne leur permet pas de réduire leur alimentation. Ils méconnaissent tout simplement le fait que la suralimentation augmente l'appétit alors que la réduction le modère.

*
**

Cela dit, il n'est pas douteux que les mêmes quantités de nourriture ingérée ne produisent pas les mêmes résultats pondéraux chez toutes les personnes. Les unes grossissent alors que d'autres maintiennent leur poids. C'est du reste une constatation génératrice de regret, voire d'amertume, chez bien des obèses, chez les femmes surtout. « Ah ! disent-elles, si je pouvais manger comme celle-ci ou celle-là ! Hélas ! un verre d'eau me profite ! »

En réalité nos possibilités d'assimilation ne sont pas identiques. Certaines personnes stockent facilement et exagérément les corps gras et transforment dans une proportion excessive les glucides en graisses. C'est pourquoi, à égalité de rations, les unes grossissent alors que d'autres maintiennent leur poids.

Dans ce cas, l'obésité est dite *endogène* ou engendrée par l'organisme lui-même.

A l'opposé, la suralimentation provoque l'obésité *exogène*, engendrée par une cause extérieure au sujet, en l'espèce l'excès d'aliments. Et il n'est pas douteux que l'on passe très vite de l'obésité endogène à l'exogène.

Ce distinguo permet certes d'élaborer de savantes théories, un peu trop tirées, me semble-t-il, par les cheveux. En effet l'obésité est toujours provoquée par l'aliment. Elle est donc dans tous les cas essentiellement exogène. Il s'agit, pour éviter de franchir le seuil fatidique de connaître ses possibilités d'assimilation des corps gras et des sucres ou hydrates de carbone, de sorte qu'il n'y ait pas de stockage de graisse ou de conversion des glucides en lipides.

Différents auteurs incriminent un trouble du système nerveux. Sans doute cela peut se produire, et il faut y penser en présence d'un enfant obèse ou devant une obésité irréductible. Ces cas sont rarissimes, alors que l'obésité par suralimentation est le dérèglement courant, universel.

Je ferai la même remarque concernant l'hérédité. Il existe des familles où toute la lignée est obèse : grands-parents, parents, enfants. Les nouveau-nés ont déjà un excès de poids sensible, garçons et filles ne tardent pas à être énormes.

Dans l'immense majorité des cas, il ne s'agit pas d'une hérédité vraie, mais d'une hérédité de comportement. Jamais le rôle génétique n'a été mis, à cet égard, en évidence. Il est plus conforme à la réalité de souligner le rôle du modèle familial avec le préjugé de la quantité qui, croit-on, assure force et santé.

Il est évident que je n'ai en vue, ici, que les obésités communes. Il existe par exemple une obésité gynoïde associée à une insuffisance génitale dont l'origine est manifeste. Dans cette affection, connue sous le nom de *syndrome de Laurence-Moon-Biedl-Bardet*, l'obésité est une conséquence de l'insuffisance génitale, conjuguée souvent à un important déficit intellectuel. Cela n'a rien à voir avec l'obésité.

Les considérations qui précèdent mettent en évidence que la cause majeure sinon unique de l'obésité est la suralimentation.

Lorsqu'un sujet inquiet par sa prise de poids consulte un médecin, il n'avoue pas facilement ses excès de nourriture. D'aucuns les ignorent de bonne foi. Ce n'est qu'après un interrogatoire serré que la ou le patient révèle un excès de pain, de farineux, de beurre, de desserts, de sucreries.

La cause majeure est donc bien la suralimentation, et c'est à la réduire que l'obèse doit s'appliquer résolument par les moyens qui seront indiqués dans la seconde partie de cet ouvrage.

LES CALORIES

L'alimentation, pour le problème qui nous occupe, se traduit en calories. C'est là une notion importante qu'il convient de comprendre parfaitement.

Les calories alimentaires expriment le besoin énergétique. On sait que la calorie est une unité de mesure de chaleur qui correspond à la quantité nécessaire « pour élever de 14,5 °C à 15,5 °C la température de 1 g d'eau ».

En réalité l'unité de quantité de chaleur utilisée en alimentation est la grande calorie appelée maintenant kilocalorie. Nous devrions donc exprimer toutes les valeurs caloriques des aliments en kilocalories. Par exemple un gramme de lipides fournit 9 kg cal. Cependant tous les manuels et les différentes tables ne contiennent pas cette précision. Il s'agit là d'un usage auquel nous nous conformerons afin de ne pas troubler le lecteur moyen puisque aussi bien ce livre est destiné au grand public.

Il résulte d'études faites par les nutritionnistes que :
1 g de protéines produit 4,2 calories,
1 g de lipides   produit 9,3 calories,
1 g de glucides   produit 4,1 calories.

Il s'agit là de valeur théorique. En ce qui concerne les protéines, l'action dynamique spécifique entraîne une diminution d'un peu moins de 30 pour 100. Pour les deux autres nutriments l'action dynamique spécifique est beaucoup plus faible. Les chiffres ci-dessus doivent donc être corrigés comme suit pour les trois nutriments :
1 g de protéines = 3 calories,
1 g de lipides   = 9 calories,
1 g de glucides   = 4 calories.

En consultant la composition des aliments, par exemple dans les tables de Mme Lucie Randoin, il est facile de calculer l'apport calorique.

Ainsi si je consomme 100 g de biscottes, compte tenu que cet aliment glucidique fournit 10 g de protéines, 2,5 g de lipides et 75 g de glucides, j'aurai une couverture énergétique de :
$$10 \times 3 + 2,5 \times 9 + 75 \times 4 = 352,5 \text{ calories.}$$

Si à la place des biscottes, je mange 100 g de pain blanc, je recevrai 7 g de protéines, 1 g de lipides et 53 g de glucides, la couverture énergétique sera :
$$7 \times 3 + 1 \times 9 + 53 \times 4 = 242 \text{ calories.}$$

Remarquons en passant la différence de 110,5 calories en moins en faveur du pain. On peut très bien introduire dans le régime de l'obèse des biscottes, mais il faut savoir qu'elles n'ont aucune vertu amaigrissante par elles-mêmes, qu'à poids égal 100 g de biscottes fournissent 110,5 c en plus, et si l'on n'en tient pas compte, elles favorisent davantage l'embonpoint.

*
* *

Cette notion des calories, très importante, pour lutter contre l'obésité, ne correspond pas cependant à une notion de saine diététique. La seule considération de l'action dynamique de l'aliment tend à assimiler l'organisme à un moteur auquel il suffit de fournir une certaine forme d'énergie, en l'espèce un combustible ou mieux un comburant, en vue d'obtenir un certain travail.

Qu'il me soit permis de rappeler à cet égard ce que j'ai dit dans mon livre *l'Alimentation équilibrée pour tous les âges* : « De ce fait, l'apport calorique a constitué pendant longtemps la préoccupation essentielle des spécialistes de l'alimentation. Certes, les rations indiquées couvraient normalement les besoins énergétiques, mais les besoins plastiques, qualitatifs, assurant la défense et le renouvellement cellulaire étaient souvent, pour ne pas dire toujours, carencés.

« Aujourd'hui, les recherches effectuées au cours des dernières décennies ont mis en évidence ces vérités. Elles sont loin, hélas, d'avoir pénétré en profondeur dans le grand public qui continue à se nourrir d'une façon aberrante. »

Donc le régime et notamment celui des obèses doit tenir compte bien entendu de l'apport calorique sans jamais négliger la nécessité impérieuse d'équilibrer strictement l'alimentation.

*
* *

Cela dit, l'énergie reçue sous forme de nourritures doit équilibrer l'énergie dépensée, c'est-à-dire celle correspondant à son activité, plus celle relative à l'entretien de la vie.

Celle-ci s'exprime par le métabolisme basal, et le maintien de la température du noyau interne ou homéothermie, produit de la thermogenèse. Il faut aussi tenir compte de la quantité d'énergie échappée avec les selles, les urines, la transpiration.

Il y a stockage d'énergie sous forme de retenue des graisses et de conversion des glucides en lipides ou lipogenèse. Dans ce cas, l'énergie dépensée est donc inférieure à la quantité d'énergie reçue. C'est incontestablement de cette différence que naît l'obésité.

Dans un premier temps, l'obèse doit passer du bilan positif au bilan négatif. Autrement dit, il doit dépenser plus d'énergie qu'il n'en reçoit.

Dans le second temps, une fois que les pertes auront résorbé la surcharge pondérale, il devra veiller à l'égalité de l'équation énergie reçue = énergie dépensée.

Le problème, facile à mettre en formule, mais plus ardu à résoudre, consiste non pas à se fonder sur un régime standard résumé dans l'observation « un tel mange les mêmes quantités de nourriture que moi et ne grossit pas », mais à ajuster ses rations à ses possibilités d'assimilation.

Le principe est le suivant :

● **L'énergie fournie par la quantité d'aliments ingérés doit être totalement dépensée.**

Si ce principe n'est pas observé, il y a obligatoirement engraissement. Il ne s'agit pas de se fonder sur les rations de celle-ci ou de celui-là, mais d'être son propre étalon, de sorte que ses rations soient réduites, si besoin est, sans autres considérations, d'où le second principe :

● **Veiller à recevoir une alimentation complète et équilibrée. Se peser régulièrement et réduire les rations dès qu'il y a éloignement du poids souhaitable, c'est-à-dire correspondant à sa taille, à son squelette, à son âge. Mais ne jamais déséquilibrer l'alimentation.**

J'ai montré dans mon livre précité l'importance déterminante, pour la santé et la longévité, du régime équilibré. Toute personne peut observer ce principe d'équilibre, tout en réduisant les aliments gras ou lipides, et les hydrates de carbone, sucres ou glucides, aliments lipogènes.

Lorsque je conseille à des obèses de diminuer les apports caloriques, on objecte souvent la nécessité de ne pas descendre au-dessous de la normale. Qu'est-ce que cela signifie ? Qu'il ne faudrait pas descendre au-dessous des chiffres officiels.

Voyons le problème d'un peu plus près. L'alimentation évaluée en calories doit couvrir le métabolisme basal qui représente la respiration, l'activité cardiaque et le tonus musculaire au repos, les diverses fonctions enzymatiques, autrement dit toutes les dépenses de fond soit 1.600 calories.

A cette dépense de base, d'entretien permanent s'ajoute la dépense d'activité estimée à 50 pour 100 de la couverture du métabolisme basal, soit 800 calories. On avance aussi que pour un travail léger, cette dépense d'activité oscille entre 1.000 et 1.800 calories ; pour un travail de force, entre 1.800 et 3.000, voire 3.500 calories.

En moyenne, l'apport devrait être de 2.800 calories par jour, auquel il faut ajouter 10 pour 100 de ce chiffre pour tenir compte de l'action dynamique spécifique moyenne des aliments, en d'autres termes des dépenses entraînées par l'assimilation.

En définitive l'apport calorique quotidien doit être de 2.800 + 280 = 3.080. L'Organisation Mondiale de la Santé, O.M.S. a retenu le chiffre de 3.200 calories par jour.

Ce sont là les chiffres officiels. Je soutiens que, s'ils ne sont pas dépourvus de signification, il ne faut tout de même pas en avoir la superstition, et cela tant à l'endroit de la diététique que des autres domaines thérapeutiques.

La ration de 3.200 calories ne concerne qu'un sujet jeune de 25-30 ans, pesant 65 à 70 kg, d'activité moyenne mais soutenue. Un ou une sédentaire de 35-40 ans absorbant la même quantité de nourriture, et ayant donc un apport très officiel de 3.200 calories, deviendra sûrement obèse.

Pas de superstition des chiffres. La ration globale n'a rien à voir avec les constantes biologiques. Elle doit varier suivant l'âge, l'activité, la saison. Plus on vieillit et plus il

importe de veiller à la qualité. Quant à la quantité, la bascule est l'irrécusable témoin du bilan recettes-dépenses. Si mon poids augmente, le bilan positif traduit un accroissement des réserves ; s'il diminue, le bilan négatif marque la mobilisation et la consommation des réserves.

Le critère n'est pas la quantité de calories définies par l'O.M.S., mais le poids souhaitable et mon propre bilan. Si je suis au-dessus de ce poids souhaitable, suivant l'âge, les rations doivent être diminuées ; si je suis au-dessous, elles doivent être augmentées.

Autrement dit, si je grossis en ne recevant que 2.500 calories, je dois essayer d'équilibrer mon bilan avec 2.000, voire 1.800 ou moins encore jusqu'à parvenir au maintien pondéral.

Mais il importe, par-dessus tout, de ne pas déséquilibrer l'alimentation, de ne pas recevoir une nourriture carencée. Ce serait ouvrir délibérément la voie à la maladie.

Souvenez-vous que le déséquilibre de l'alimentation n'est pas moins redoutable que l'excès.

*
* *

Cette notion d'équilibre recettes-dépenses est capitale, et je voudrais en terminant ce chapitre insister sur un de ses aspects dont on n'a pas, me semble-t-il, une conscience suffisante.

Supposons que la valeur calorique des aliments que vous ingérez quotidiennement soit de 2.800, mais que vous n'utilisiez que 2.400 calories. Vous recevez donc chaque jour 400 calories de trop. Au bout de trente jours cela fait 400 x 30 = 12.000 calories.

Or nous avons vu qu'un gramme de corps gras produit 9 calories. Ainsi le quotient de $\dfrac{12.000}{9}$ correspond à la quantité de graisse, ou de glucides convertis en graisse, que vous mettez en réserve, que vous épargnez, soit 1.333 g.

Si cette épargne se poursuit pendant un an, cela donne

1.333 x 12 = 15.996 g ; seize kilos ! Ce n'est pas autrement que débute et se développe l'obésité, dans l'immense majorité des cas.

En réalité l'obèse ne fabrique pas qu'un surcroît de graisse. Dans mon exemple, je me suis borné à schématiser, mais le résultat reste bien évidemment l'excès pondéral global. L'obèse fabrique aussi des tissus protéiques et de l'eau, non point à partir de celle qu'il boit, car l'eau n'est retenue que dans le cas d'atteinte rénale et cardio-vasculaire ; il en synthétise à partir du sucre et des corps gras consommés.

Les travaux d'Ancel Keys, nutritionniste américain, ont établi que le tissu adipeux ne comporte que 65 pour cent de lipides, 22 pour cent de tissu non gras et 13 pour cent d'eau. Cela n'infirme en rien le caractère mythique de l'obésité dite spongieuse, mais confirme que tout tissu, donc y compris le tissu obèse, doit contenir de l'eau, mais celui-là moins que les autres tissus de l'organisme.

Si l'on tient compte des taux donnés par Keys, mon exemple ci-dessus doit être rectifié comme suit :

400 calories épargnées quotidiennement correspondent à 300 calories convertibles en corps gras et 100 calories convertibles en tissu maigre ; étant donné qu'un gramme de lipides fournit 9 calories et un gramme de protéines 4 calories, nous aurons donc une épargne quotidienne de :

$$\frac{300}{9} + \frac{100}{4} = 33 \text{ g} + 25 \text{ g} = 58 \text{ g,}$$

masse à laquelle il faut ajouter environ 12 g d'eau, soit un accroissement quotidien de 58 + 12 = 70 g et pour trente jours de 70 x 30 = 2.100 g au lieu de 1.333 g dans mon exemple schématisé.

Au cours de la cure d'amaigrissement, il est évident que l'eau sera mobilisée la première, et ne représente aucune calorie. Ceci explique pourquoi on maigrit plus rapidement au début de la cure. Ensuite l'abaissement de la ration calorique doit être plus important, afin d'éliminer chaque gramme de graisse qui correspond à une restriction de neuf calories.

Mais quelle que soit l'étude ou le schéma auquel on se réfère, c'est toujours au même résultat qu'il faut aboutir : éliminer le tissu d'épargne par la restriction calorique, puis, une fois ce tissu éliminé, veiller à avoir un bilan recettes-dépenses équilibré.

Autrement dit, ne pas prendre une quantité de calories supérieure à ses besoins, donc à sa manière d'assimiler et, ne l'oublions pas, à son activité. Si l'on réduit son activité sans réduire ses rations on engraisse, a fortiori si on les augmente.

OBÉSITÉ ET PSYCHISME

Puiqu'il ne s'agit en fin de compte que d'un problème d'ajustement, d'une question de bilan, le traitement de l'obésité ne devrait pas être si difficile. Sans doute, mais ici plus qu'en d'autres domaines, nous devons tenir compte du facteur psychique.

L'obèse veut maigrir, non pas tant par nécessité interne, mais parce qu'il finit par ressentir une certaine honte de son corps, particulièrement au retour des beaux jours où le vêtement allégé, et plus encore la perspective des vacances, vont mettre en évidence les adiposités qui ne gênent pas, du moins le croit-on, dans l'instant, mais sont indésirables esthétiquement.

L'obèse veut maigrir mais il pâtit d'un dérèglement de l'appétit, du centre de la satiété. A son désir le plus souvent platonique de maigrir, s'oppose l'agrément de manger suivant son habitude, quand la nourriture est à portée de main et de bouche, disponible sans effort. Il ne mange pas par faim, par besoin, mais parce que son seuil de la satiété est terriblement élevé.

Il n'a plus aucune notion de la valeur nutritive et énergétique d'un aliment, et absorbe sans frein des liquides et des solides, et plus souvent uniquement des solides, à longueur de journée. Sans doute, il y a dans ce comportement des degrés, mais quand le premier est atteint, le seuil de la satiété recule, et celle-ci, à plus ou moins long terme, se dérègle complètement. C'est ainsi que l'on glisse graduellement dans la polyphagie.

Ce comportement tend à se renforcer dans la mesure où,

au cours de la prime enfance, le sujet a acquis des habitudes de gavage précoce. Dans certaines familles, je l'ai dit, on confond l'enfant gras, joufflu, avec l'enfant en bonne santé. Ce travers semble procéder d'un complexe de famine formé sur un fond d'anxiété.

Tous les auteurs admettent que l'obésité a un antécédent psychique. C'est une affection psychosomatique. Je n'irai pas jusqu'à soutenir que dans tous les cas le facteur psychique est supérieur ou au moins égal à la manifestation somatique, en l'espèce l'excès pondéral, mais il y a toujours un problème psychique imbriqué dans l'altération physique. Mais, étant donné que notre être est une unité, une âme corporalisée, pour parler comme Michel Ducet, l'excès de poids, la détérioration de son image, les troubles organiques provoqués par l'obésité ont, eux aussi, une incidence psychique.

Manger est un plaisir et une source d'émotion, et, chez certaines personnes, fort nombreuses soyez-en persuadé, c'est une pulsion boulimique qui les rassure contre les frustrations réelles ou illusoires dont elles souffrent. Frustrations affectives et, ajoutent les psychanalystes, notamment ceux de l'école freudienne, sexualité mal assumée et donc insatisfaite, subie et en aucun cas sublimée. Cela dit avec toutes les réserves qu'il convient de faire à l'endroit du pansexualisme freudien.

La suralimentation devient alors un refuge — habitude, secours, satisfaction et sécurité. On craint de ne plus être soi-même si l'on réduit ses rations, de ne plus avoir assez de force.

Les psychanalystes disent que le sujet est fixé au stade oral ou anal. Sans entrer dans le détail de ces concepts, rappelons que l'oralité est un stade archaïque, celui de la prime enfance au cours de laquelle le bébé désire s'incorporer tout ce qui est à sa portée, met tout à sa bouche, avale tout ce qu'il peut avaler.

Le stade anal est caractérisé par la satisfaction procurée par l'exonération intestinale, et le parti que le bébé peut en tirer, pour faire plaisir, en retenant, ou déplaire, en abandonnant le produit de sa digestion, dans ses couches.

Ces fixations archaïques ont pour dominante une personnalité très souvent narcissique, c'est-à-dire centrée sur l'admiration de soi. Bien entendu, la mise au jour de ces fixations implique la connaissance de soi par l'exploration de l'inconscient ou psychologie des profondeurs. Ce n'est point chose facile.

Chez ces sujets, toute tension émotionnelle provoque une suralimentation compensatrice, qu'il s'agisse de trouble dans le ménage, d'inharmonie entre conjoints, de surmenage professionnel, de soucis de tous ordres, de crainte à propos d'un emploi ou des difficultés de la vie de tous les jours.

L'homme ou la femme dans cet état grossit, et il n'est pas rare qu'il pâtisse en même temps d'une dyspepsie, de troubles neuro-végétatifs, de maux de tête, d'insomnie.

« La satisfaction orale, écrit le professeur Deniker, apparaît comme un substitut de celles que la vie refuse ou bien que le sujet se refuse par motivation névrotique. »

*
* *

Je passe sur l'obésité interprétée comme étant la résultante d'une névrose d'angoisse féminine qui procède elle-même de l'hystérie, les variations profondes de l'humeur ou cyclothymie. Les interprétations des psychanalystes paraissent souvent un peu forcées, c'est le moins qu'on puisse en dire.

J'invite donc mes lecteurs et mes lectrices à faire l'effort de bien se connaître — la démarche sera bénéfique sur tous les plans — sans chercher à se définir selon les schémas souvent aberrants des psychanalystes. Ce que ces spécialistes en disent procède généralement de cas extrêmes et a peu à voir avec les obèses qui sont légion.

Cela dit, que le terrain soit plus ou moins prédisposé à l'obésité, le facteur psychologique ne doit pas être négligé, mais il n'est pas nécessaire de recourir à un spécialiste, sauf cas rarissime où l'obésité est greffée sur une névrose grave.

S'il est établi que l'obésité représente un compromis entre les difficultés psychiques du patient et la nécessité de les amortir par un moyen physique, en l'espèce l'excès pondéral, la cure d'amaigrissement doit alors être extrêmement prudente.

Il faut en effet tenir compte de l'équilibre auquel est parvenu le sujet : la suralimentation tempère les tensions qui résultent des difficultés de relations avec autrui et avec lui-même. Pour ne pas rompre l'équilibre, il faut, à l'évidence, réduire les tensions en même temps que l'alimentation. Si l'on opère seulement du côté du régime, les tensions risquent de s'exacerber menaçant le patient d'une crise psychologique grave. Aussi importe-t-il, avant de commencer toute cure d'amaigrissement, d'évaluer l'importance du facteur psychique si l'on ne veut pas aller au-devant d'incidents sérieux.

Autrement dit, l'obèse doit s'adapter sans difficulté à la cure. Il doit être heureux de maigrir. Le critère de cette adaptation, de cette satisfaction est que la courbe descendante du poids ne doit pas s'accompagner d'irritabilité, d'anxiété, de tension. Quand les relations familiales s'améliorent ou qu'elles ne s'aigrissent pas du fait de l'obèse en cure d'amaigrissement, c'est que le patient est bien adapté à sa cure. C'est un peu, me semble-t-il, l'application du conseil de l'Ecriture : « Si tu jeûnes, mets de beaux vêtements et souris de sorte que l'entourage ne s'aperçoive de ton sacrifice. » Un sourire qui ne doit pas être contraint, mais traduire sa joie intérieure, l'adaptation de son jeûne en hommage à Dieu.

Chacun a intérêt à connaître, le plus exactement possible, sa personnalité biologique et psychologique. Afin de n'attenter ni à l'une ni à l'autre, du reste confondues dans l'identité unique âme-corps, la cure d'amaigrissement sera suivie sans heurt, lentement, progressivement, de sorte que le sujet se rapproche du poids souhaitable à long terme et sans difficulté, et puisse s'y maintenir sans crise.

OBÉSITÉ ET MÉDICAMENTS

En montrant que l'obésité commune est essentiellement liée, comme la cause l'est à son effet, à la suralimentation, et que celle-ci a souvent ses motivations enfouies dans le psychisme, j'ai fait ressortir implicitement que l'excès pondéral ne saurait être réduit en recourant systématiquement aux médicaments.

Non seulement les drogues à haut pouvoir pharmacodynamique ne peuvent constituer la solution thérapeutique mais elles sont dangereuses et souvent très dangereuses. C'est ce que je vais essayer de montrer.

Certes il est tentant de vouloir réduire le déséquilibre entre l'assimilation ou anabolisme, et la désassimilation ou catabolisme des glucides et des lipides par un ou des remèdes miracles. Malheureusement il n'en existe pas. Alors on se rabat sur les médicaments classiques : anorexigènes, sédatifs nervins, diurétiques, extraits thyroïdiens, hormones génitales, dérivés cortisoniques.

ANOREXIGÈNES

Les anorexigènes sont des substances propres à engendrer la perte de l'appétit ainsi que l'étymologie du terme le suggère, de *an*, privatif, et du grec *orexis*, appétit.

Ils appartiennent à différentes familles chimiques, mais les plus nombreux et les plus dangereux sont les dérivés des *amphétamines*. Il s'agit d'amines sympathomimétiques, c'est-à-dire dont l'action tend à reproduire celle du système nerveux sympathique. Sans doute ces amines diminuent l'appétit, ralentissent l'évacuation gastrique, mais le phénomène d'accoutumance est rapide et neutralise l'effet recherché, à moins d'augmenter les doses et de s'exposer à de sérieux inconvénients dont les moindres sont l'insomnie, l'hypertension, la perte de l'autocritique. A l'extrême, et après avoir stimulé la vitalité, un optimisme exagéré, le contentement anormal de soi, elles exposent à l'état dépressif avec risque de suicide.

Donc médicament illusoire et dangereux, à écarter.

Des médecins soutiennent que les dérivés des amphétamines apportent une aide psychologique effective. Faut-il sous ce prétexte intoxiquer le patient ? L'effet psychologique ne sera-t-il pas plus efficace si on lui dit que ces remèdes ne lui apporteront rien de positif, et lui feront courir des risques tout à fait inutiles ? Proposons plutôt aux malades de rééduquer leur volonté au lieu de les tenir pour des sous-développés mentaux. Ce sera sans doute plus long mais plus efficace.

SÉDATIFS NERVINS

Tous ceux qui ont eu à traiter des obèses savent bien qu'en diminuant les rations, le sujet reste en butte à la faim psychique. La patient est privé de l'apaisement des plats sucrés, des boissons sucrées, des sucreries. Il n'a plus la possibilité de tempérer son ennui en grignotant entre les repas. Les situations conflictuelles intra-familiales ou conjugales ne sont plus compensées par des suppléments de charcuterie ou de pâtisserie. Ce manque peut, selon le tempérament, provoquer ou majorer l'anxiété, et donner lieu à des dépressions ou à une excitation pénible pour l'entourage. Pour les prévenir ou les réduire, on prescrit des sédatifs nervins ou des stimulants.

Le *phénobarbital* peut être associé à la *belladone*.

Le phénobarbital est un sédatif qui a fait ses preuves

quant à son efficacité, mais il n'est pas douteux que sa molécule est toxique. Comme tous les barbituriques, il peut provoquer le *rhumatisme barbiturique,* notamment celui de l'épaule et, chez certaines personnes, des éruptions cutanées. Chez les allergiques il excite au lieu de produire un effet calmant.

La belladone est connue pour renfermer un poison redoutable : l'alcaloïde atropine. Certes, la posologie bien établie est sans risques immédiats, mais il n'est pas rare qu'après un emploi prolongé, ce remède, qui s'oppose aux effets de l'excitation des nerfs parasympathiques, manifeste ses effets toxiques par des vertiges, la sécheresse de la bouche et de la peau, l'accélération des battements du cœur ou tachycardie, la paresse intestinale, la paralysie de l'accommodation, la dilatation anormale et persistante de la pupille ou mydriase et, à l'extrême, un état d'excitation et des hallucinations.

Et comme la dose active de ce remède est très voisine de la dose toxique, l'obèse doit le tenir pour tout à fait indésirable et donc l'écarter sans regrets.

TRANQUILLISANTS

Ils agissent rapidement sur les symptômes psychonerveux qu'ils réduisent : anxiété, irritabilité, tension et tristesse. C'est en quelques instants l'euphorie. De véritables drogues du bonheur.

S'il suffisait d'une cure de quelques jours, voire de quelques mois, cela pourrait passer. Hélas, dès la suppression du médicament, l'anxiété renaît. Il y a dès lors risque d'assujettissement à la drogue, et c'est au prix de sa santé physique. Il se produit un état d'intoxication qui va s'aggravant : le foie, les reins ou le sang sont menacés, et il y a danger, à plus ou moins long terme, de troubles fonctionnels ou lésionnels.

Comment agissent les tranquillisants ? Voyons cela très schématiquement. Quand les difficultés d'adaptation à des circonstances données se prolongent le système nerveux sympathique est irrité, par suite de l'effort exagéré qu'il fournit pour adapter précisément l'organisme à la situation vécue difficilement.

Cette irritation du sympathique a pour effet de perturber les fonctions organiques et, par suite, expose aux affections psychosomatiques. Dans cet état de déséquilibre nerveux, dont les symptômes sont l'irritabilité, la fatigue, l'insomnie, les tranquillisants opèrent une sorte de déconnection, entre le système sympathique et l'écorce cérébrale.

L'angoisse est interrompue. D'où le nom de pilule du bonheur.

Certains auteurs soutiennent que les tranquillisants n'ont pas les effets toxiques qui leur ont été attribués. Nous persistons à croire le contraire. Mais quand bien même cette innocuité serait démontrée, il n'en resterait pas moins que leur utilisation en longue durée aboutit à une quasi mutilation de la personnalité par suite de la rupture introduite entre celle-ci et son système nerveux sympathique.

DIURÉTIQUES

Pourquoi ordonner des remèdes propres à augmenter la diurèse ? Pour remédier à la rétention d'eau. Mais nous avons vu qu'il s'agit d'une pseudo-rétention hydrosaline. Au contraire la surcharge graisseuse abaisse la quantité totale d'eau relativement au sujet maigre, ainsi que nous l'avons déjà souligné.

Il faut être absolument sûr qu'il existe une rétention hydrosaline pour prescrire des diurétiques dans l'optique allopathique. Par exemple dans le cas d'une hypersécrétion de l'hormone antidiurétique et de l'aldostérone. Une telle perturbation résulte de l'excitation de l'hypothalamus ou plus exactement des centres hypothalamiques qui régissent la régulation de l'équilibre de l'eau dans l'organisme.

Quoi qu'il en soit, les diurétiques sont d'un maniement

délicat, et nous y sommes opposé quant à nous, du moins dans la lutte contre l'obésité.

Fort heureusement les diurétiques mercuriels ont été abandonnés. Leur danger n'est plus à démontrer. Ils engendrent une asthénie extrême ou perte de force par suite de la fuite du sodium provoquée par une excrétion urinaire importante et répétée. Il se produit également une déperdition des ions chlore et potassium. Si des précautions adéquates ne sont pas prises, si la posologie est mal réglée, des troubles rénaux apparaissent avec albuminurie, sang dans les urines ou hématurie et taux d'urée ou azotémie en augmentation.

*
* *

Les autres diurétiques tels l'*acétazolamide* et le *chlorothiazide* et autres *thiazidiques* sont-ils préférables ? Ils offrent certes plus de souplesse, mais présentent eux aussi des inconvénients sérieux.

L'acétazolamide, même prescrit à faible dose, n'est pas toujours d'une tolérance facile. Il fait fuir le potassium, expose à l'acidose, surmène le rein.

Les thiazidiques, pour être plus maniables, n'en éprouvent pas moins le rein, provoquent la chute du taux de potassium dans le sang, augmentent le taux de sucre ou hyperglycémie, surmènent le foie et l'estomac. Ils sont tout à fait contre-indiqués aux goutteux, étant donné qu'ils provoquent l'élévation de l'uricémie.

L'acétazolamide et les thiazidiques appartiennent à la famille des **diurétiques sulfamidés**.

Les effets de ces médicaments sont certes spectaculaires du moins au début. Deux litres d'urine excrétée représentent un amaigrissement de deux kilos. Mais l'accoutumance est rapide et la réponse de l'organisme ne se fait pas attendre : hypersécrétion de l'aldostérone et de l'hormone antidiurétique. Il faut alors augmenter les doses. C'est le cercle vicieux avec le risque iatrogénique que l'on sait. Iatrogénique qualifie la maladie fonctionnelle ou lésionnelle engendrée par la médication, autrement dit par la médecine.

Donc pas de diurétiques, même pour débuter le traitement d'une obésité commune, sous le prétexte d'une rétention hydrosaline hypothétique, et plus généralement pour agir sur le psychisme du malade par un amaigrissement rapide. Mais à quoi bon ! puisque la perte pondérale ne manque pas d'être annulée les jours suivants !

EXTRAIT THYROIDIEN

Il fut un temps où les hormones étaient mêlées à toutes les sauces thérapeutiques et, bien évidemment, à celle du traitement de l'obésité.

En ce qui concerne l'extrait thyroïdien, il augmente les dépenses, les oxydations et mobilise les graisses de réserve. Cette action est attestée par le fait que, dans la maladie de Basedow, caractérisée par l'hypersécrétion thyroïdienne, le patient subit un amaigrissement souvent important et parfois inquiétant.

L'expérience a montré que la thérapeutique thyroïdienne à petites doses n'a aucun effet sur l'obésité, et que les doses élevées sont nettement toxiques. Cette toxicité se manifeste par des poussées de tachycardie, accélération du pouls, tremblement, insomnie et une grande irritabilité.

D'autre part, si tant est que la mobilisation des graisses soit réelle, l'amaigrissement porte sur les muscles. Il y a donc une perte dangereuse de protéines, donc d'éléments plastiques.

Là encore le jugement est sans appel : l'extrait thyroïdien doit être écarté du traitement des obèses en raison de sa haute toxicité.

Je n'ignore pas que l'on tente périodiquement de réhabiliter la thyrothérapie de l'obésité en alléguant l'insuffisance des seules prescriptions diététiques. Le problème consiste toujours à savoir si les risques subsistent ou non. Or nous savons qu'ils existent, que la *thyroïde lyophilisée* ne les supprime pas, en dépit de sa meilleure tolérance. La thyroïde lyophilisée expose à un risque sérieux les artères et artérioles et notamment les artères coronaires, ce qui la contre-indique à tous ceux dont les vaisseaux et le cœur sont quelque peu fragiles, et notamment à tous les obèses après quarante-cinq, cinquante ans.

HORMONES GÉNITALES

Les jeunes filles au cours de la puberté, les femmes après un accouchement ou pendant leur ménopause peuvent être affligées d'une poussée pondérale, d'où l'idée de recourir aux hormones génitales.

Les hormones génitales féminines sont les œstrogènes et la progestérone. Les principales sont l'*œstrone* ou *folliculine* et l'*œstradiol* dont la folliculine est le précurseur. L'action des œstrogènes n'est pas uniquement bornée au cycle menstruel et à la sphère génitale. Ces hormones auraient une action sur le métabolisme des protéines, sur celui du sucre dans le sang par hypoglycémie, sur le métabolisme de l'eau et du sodium.

En outre, et comme tout interfère dans l'organisme et notamment pour ce qui concerne le concert endocrinien, les œstrogènes stimulent l'hypophyse dans sa sécrétion de la *lutéinisante hormone* ou par l'œstradiol qui empêche cette stimulation. Ils favorisent les sécrétions des glandes surrénales.

Il s'agit donc d'une activité hormonale importante qui intervient à plusieurs niveaux de l'économie.

La progestérone ou lutéine, également sécrétée par l'ovaire, plus exactement par le corps jaune, est antagoniste de la folliculine. Elle exerce une action sur les glandes mammaires en développant les tissus, augmente la température du corps, et transforme la muqueuse utérine en un important édifice épithélial.

Au cours des climatères mentionnés ci-dessus, puberté et ménopause, et après l'accouchement, les sécrétions hormonales ovariennes sont perturbées. La thérapeutique ovarienne va donc avoir pour objet de rééquilibrer les sécrétions. C'est plus facile d'en énoncer le principe que de le réaliser. Ces hormones sont d'un maniement fort délicat et ne sont pas sans danger. C'est ainsi que les œstrogènes de synthèse, à doses prolongées et élevées, peuvent engendrer des tumeurs des seins et des organes génitaux.

Je déconseille ce genre de traitement, au moins en longue durée, et j'en profite pour mettre en garde mes lectrices contre l'emploi abusif des anticonceptionnels oraux ou pilules. En effet, la contraception œstro-progestative déséquilibre le cycle génital. Aux perturbations des métabolismes provoquées par ces substances hormonales viennent s'ajouter, notamment pour les prédisposées, l'augmentation de la tension artérielle.

Il faut encore songer à une conséquence iatrogénique grave : le cancer. Je n'ai pas pour principe d'alarmer systématiquement, mais j'estime avoir le devoir de dire les craintes partagées par différents cancérologues. Des expériences faites sur des chiens, hamsters, lapins, rats, souris ont établi que les hormones féminines de synthèse engendrent des cancers des voies génitales. Certes, les réactions des animaux ne sont pas strictement comparables à celles des hommes, et l'emploi depuis plusieurs décennies des œstroprogestatifs aux U.S.A. n'a pas accru, si l'on en croit les statistiques, le nombre des cancers du sein et de l'utérus. Néanmoins, il ne faut jamais perdre de vue le *terrain* qui peut recéler une prédisposition au cancer. Prédisposition qui risque, à longue échéance, si cette forme de contraception est pratiquée pendant des années, d'être actualisée par une tumeur maligne.

CORTISONE ET DÉRIVÉS

Certains praticiens prescrivent des dérivés cortisoniques, compte tenu du fait que les doses faibles de 2 à 3 mg par jour favorisent la diurèse et la diminution de l'appétit et, par suite l'obésité. On sait, au contraire, que les doses

élevées provoquent une obésité caractérisée par des bouf-
fissures.

Les doses considérées comme faibles par l'allopathie, 2 à
3 mg, ne le sont pas à nos yeux. Et l'absorption quotidienne
d'une telle dose pondérable ne peut pas ne pas avoir de
conséquences toxiques.

Selon plusieurs auteurs les dérivés cortisoniques entraînent la fuite du potassium et l'affaiblissement musculaire
consécutif. En outre, le taux de sucre dans le sang tend à
augmenter en raison de l'accroissement, sous l'effet de la
drogue, du stockage du glycogène dans le foie, d'où sa
sécrétion en trop grande quantité dans le sang et l'apparition d'une forme de diabète iatrogène.

**En plus des perturbations des échanges glucidiques, on
observe un déséquilibre du métabolisme des protéines.
Celles-ci subissent une dégradation trop rapide, d'où la spoliation musculaire signalée ci-dessus, et l'atteinte de la trame
protéique des os avec les risques que l'on devine.**

**La cortisone expose à d'autres effets indésirables qui ne
s'arrêtent pas seulement au corps ; ils menacent aussi le
psychisme.**

**C'est, là encore, un médicament à bannir du traitement de
l'obésité, quels qu'en soient les prétextes qu'on aurait de
l'employer.**

CIRCONSPECTION

Si la gravité de l'obésité justifie une thérapeutique médi-
camenteuse, je ne crois pas que l'emploi des remèdes décrits
ci-dessus soit justifié, étant donné les dangers auxquels ils
exposent.

De toute manière, ces drogues, en raison même de leur
toxicité, n'ont qu'un emploi limité dans le temps à quelques
semaines. Après quoi, il est mis fin à leurs prescriptions. Le
patient est satisfait de la courbe descendante du poids.
L'effet psychologique est ainsi généralement obtenu.

Mais même borné à quelques semaines, cela est trop, puisque ces médications sont inutiles et dangereuses, et que l'amaigrissement obtenu n'est qu'artificel. Pourquoi quelques semaines d'intoxication ? Est-ce là de la vraie médecine ?

J'ai connu un obèse de 85 kg pour 1 m 71 qui est mort après deux semaines d'un traitement à base d'extraits thyroïdiens, d'anorexigènes et de diurétiques. Perte rapide de poids accompagnée d'affaiblissement musculaire et de malaise, avec au bout la mort subite à trente et un ans. Ce dénouement tragique a été provoqué par un collapsus cardiaque causé, semble-t-il, d'une part, par l'asthénie du myocarde et, d'autre part, par la diminution trop rapide de la quantité d'eau dans le plasma sanguin.

Les médicaments à haut pouvoir pharmacodynamique sont dangereux et les drogues miracles n'existent pas ; pas plus pour lutter contre l'obésité que contre n'importe quelle autre affection. Un amaigrissement rapide, obtenu par des moyens toxiques, peut être et a déjà été, je viens d'en donner un exemple, une préface à l'issue fatale.

MÉDICAMENTS HOMÉOPATHIQUES

Des dangers semblables à ceux que je viens d'évoquer n'existent pas en homéopathie. C'est que cette méthode thérapeutique utilise la dose impondérable, strictement dépourvue de toxicité, n'emploie pas des remèdes symptomatiques, mais de *terrain*, ne bousculent jamais la nature, ne recherche pas de résultats spectaculaires.

Il n'empêche que cette méthode dépourvue de risques obtient des résultats d'autant plus intéressants qu'ils sont durables.

Aux yeux des homéopathes, l'obésité est essentiellement un trouble du métabolisme des lipides. Et cette insuffisance de réduction des graisses appelle des remèdes propres à aménager convenablement la lipogenèse. Bien évidemment cette thérapeutique ne réussit pas dans tous les cas, cependant en raison de la facilité de son application et de la sécurité qu'elle présente, on a intérêt à l'essayer.

La consultation du praticien est indispensable mais il n'est pas facile de l'obtenir immédiatement. Aussi bien je vais indiquer ci-dessous quelques remèdes d'attente et une posologie qui m'ont été indiqués par le docteur Jean Dermeyer.

Remèdes

Ant'hypophyse, Calcarea carbonica, Fucus vesiculosus, Graphites, Nux vomica, Phytolacca.

● *Ant'hypophyse* dit bien ce qu'il veut dire ; il s'agit d'une dilution à partir du lobe antérieur de la glande endocrine hypophyse, tenue par les endocrinologues pour le *chef d'orchestre* du concert endocrinien en union avec *l'hypothalamus*. Ce remède est destiné à rééquilibrer les fonctions endocrines.

● *Calcarea carbonica* ou carbonate de calcium est tiré des coquilles d'huîtres. Il agit sur le système lymphatique et l'appareil circulatoire, sur le tissu osseux et sur l'appareil digestif. Il modifie le terrain en améliorant l'assimilation du calcaire, et, par son action sur le système lymphatique et circulatoire, combat la tendance à l'obésité.

● *Fucus vesiculosus* ou fucus vésical appelé encore chêne marin, goëmon et varech vésiculeux. Ce remède a une affinité pour la glande thyroïde, notamment lorsque les sécrétions sont insuffisantes. Dans le traitement de l'obésité, Fucus est employé en teinture mère T.M.

● *Graphites* ou plombagine ou mine de plomb est le médicament de l'insuffisance générale des fonctions vitales, mais plus spécialement des glandes thyroïdiennes et génitales.

Il a son indication dans toutes les obésités, comme remède de fond, à condition de l'associer à Nux Vomica.

● *Nux Vomica* ou Colubrina ou noix vomique exerce son action à la fois sur le système cérébro-spinal et sur l'appareil digestif, et convient à toutes les personnes intoxiquées par des excès de nourritures, de boissons alcoolisées, de médicaments allopathiques, excès de veilles aussi et de nervosité. A ce titre Nux vomica constitue un dépuratif homéopathique de premier ordre.

Ce remède est plus spécialement celui des sujets maigres ; c'est pourquoi il doit être utilisé dans le traitement de toute obésité avec Graphites.

● *Phytolacca decandra* ou épinard des Indes ou morille en grappe ou raisin d'Amérique est un anti-inflammatoire qui, employé en teinture mère, T.M., favorise l'amaigrissement.

● *Natrum sulfuricum* ou sulfate de soude agit sur les vaisseaux, le sang et la lymphe et améliore les fonctions hépatiques, pancréatiques et rénales. Il est donc indiqué aux obèses qui ont des difficultés avec ces organes, et notamment à ceux dont le foie est déficient, Natrum sulfuricum ayant une nette affinité pour la glande annexe de l'appareil digestif.

Exemple du traitement

Graphites 5 CH, 2 granules le matin à jeun.

Nux vomica 5 CH, 2 granules une heure après le petit déjeuner.

Fucus vesiculosus T.M., 15 gouttes avant le déjeuner de midi.

Calcarea carbonica 5 CH, 2 granules à 18 heures.

Phytolacca decandra T.M., 15 gouttes avant le dîner.

Deux fois par semaine, à la place de *Graphites* et de *Nux Vomica,* par exemple le mardi et le vendredi :

Natrum sulfuricum 7 CH, 3 granules à jeun.

Ant'hypophyse 5 CH, 3 granules une heure après le petit déjeuner.

*
* *

Traitement proposé par le docteur Louis Pommier, toujours dans le cas de l'obésité simple :

« a) Boire à jeun, au réveil, une bouteille d'Hydroxydase et rester allongé une demi-heure après.

Hypophyse, lobe antérieur, 5 CH, 2 granules vers 10 heures.

Magnesia sulfurica (substance),
5 granules.

Curcuma xanthorriza T.M., 5 granules.

Orthosiphon stamineus T.M., 5 granules.

Rosmarinus, hydrolat, quantité suffisante pour 200 grammes de potion.

une cuillerée à café du mélange dans un peu d'eau 1/2 heure avant les repas.

China 4 CH, 2 granules au coucher.

Sulfur 9 CH, une dose tous les 10 jours au coucher.

« Pour freiner l'appétit et accroître la diurèse :

Trois fois par semaine, au coucher mettre un suppositoire de :

Cortex cérébral 9 CH

Hypothalamus 9 CH

Rein 5 CH

Vessie 5 CH

en parties égales pour 10 gouttes

Excipient . . . .   2 grammes (1). »

Ces traitements peuvent être suivis, je le souligne à nouveau, en attendant la consultation de l'homéopathe qui, en raison du petit nombre de ces praticiens, peut être reportée à deux ou trois mois.

Dès qu'une action favorable est obtenue, il convient d'espacer les prises et de les cesser une fois l'amélioration confir-

---

(1) Louis Pommier, Dictionnaire homéopathique d'urgence.

mée. De toute manière, c'est au médecin de fixer la longueur du traitement et l'éventualité de son renouvellement.

Si aucun effet n'est constaté le médecin prescrira d'autres remèdes.

PHYTOTHÉRAPIE

Les ressources de la phytothérapie ou médecine par les plantes sont importantes et constituent un auxiliaire précieux dans le traitement de l'obésité. Les plantes que je vais indiquer ci-après peuvent être superposées à l'homéopathie :

Bourdaine, camomille allemande, cochlearia, fucus vésiculeux, baies de genévrier, marrube blanc, prunellier, prêle, vigne rouge.

On pourra commencer par la composition suivante :

15 g de camomille allemande, 20 g de sommités fleuries de cochlearia, 25 g de baies de genévrier, 15 g de feuilles de prunellier, 25 g de romarin, 20 g de feuilles de sauge.

Mettre dans un litre d'eau bouillante quatre cuillerées à soupe du mélange parfait et maintenir l'ébullition pendant dix minutes. Retirer du feu et laisser infuser dix minutes.

Une grande tasse le matin à jeun, une tasse trente minutes avant chacun des deux principaux repas.

La composition suivante est plus efficace :

25 g d'écorce de bourdaine, 25 g de fucus vésiculeux, 20 g de sommités fleuries de marrube blanc, 20 g de prêle, 15 g de feuilles de prunellier, 20 g de feuilles de vigne rouge.

Mettre dans un litre d'eau bouillante trois cuillerées à soupe de ces plantes parfaitement mélangées et maintenir l'ébullition pendant un quart d'heure.

Posologie comme ci-dessus.

Cette phytothérapie agit sur les fonctions hépato-intestinales, améliorant le transit ; elle augmente la diurèse et l'équilibre endocrinien sans jamais agir avec brutalité. Or il est particulièrement important, dans la lutte contre l'obésité, d'avoir un traitement à action lente appuyant un régime parfaitement étudié. La lenteur d'action est ici une garantie de réussite.

*
* *

Les obèses désireux d'utiliser des macérations et teinture et qui seront ainsi dispensés de préparer des infusions pourront se procurer ces préparations chez leurs pharmaciens.

A ce propos nous recommandons les traitements des docteurs Max Tétau et Claude Bergeret. Nous avons eu l'occasion de les utiliser avec succès. Voici une observation clinique :

« Mme R..., 34 ans, se plaint d'une obésité psychologiquement mal supportée. Elle pèse 77 kg pour une taille de 1 m 65. Elle a eu deux grossesses qui ont favorisé, dit-elle, une prise de poids de 12 kg, étalée sur huit ans.

« L'examen somatique est normal, tension 12-6, constipation habituelle, sommeil difficile à trouver. L'obésité est harmonieuse, avec une prédominance cependant à la partie inférieure du corps qui est infiltrée de placards cellulitiques iliaques et péritrochantériens. Les paupières fermées sont pigmentées et tremblantes, ce qui est l'un des petits signes les plus fidèles d'un dérèglement thyroïdien. L'on conçoit dans ces cas l'absurdité d'une opothérapie thyroïdienne qui, certes, exerce un effet lipolytique, mais aggrave le dérèglement endocrinien et ses signes cliniques.

« Nous prescrivons un régime hypocalorique non pesé, consistant en une suppression presque totale des hydrates de carbone, une répartition équilibrée des repas au cours de la journée, et :

Rhammus frangula T.M.
Fucus T.M. } 40 gouttes de chaque avant les 3 repas
Spiroea T.M.

● Au réveil et au coucher :

Lycopus T.M., 20 gouttes pour régulariser la thyroïde et *Tilia bourgeons* (macération glycérinée) 1 D, 40 gouttes, à mélanger dans le même verre.

« Après un mois, la perte de poids est de 3 kg et la malade se sent, dit-elle beaucoup moins gonflée.

« Le traitement est reconduit, en ajoutant, avant les 3 repas, 25 gouttes de *Taraxacum T.M.* pour son action cholagogue. Revue de mois en mois, Mme R... perd progressivement du poids.

« *Pilosella* T.M. remplace *Spiroea. Boldo* T.M. alterne avec *Rhammus* T.M. Après cinq mois de traitement, assortis d'une restriction alimentaire assez douce, la malade pèse 66 kg, ce qui représente une perte de poids de 11 kg. Elle se sent bien, légère, euphorique, le sommeil est meilleur, la constipation a régressé.

« Une cure identique est poursuivie quinze jours, afin de maintenir la baisse pondérale (1). »

Il s'agit là d'une thérapeutique particulièrement bien adaptée à la biologie humaine et au traitement de l'obésité. Cette affection n'a pas besoin de drogues chimiques agressives, mais de remèdes doux qui agissent sur les cellules, donc sur les tissus et tendent à ramener leurs échanges à la normalité sans fatigue, sans exposer le malade aux maladies iatrogènes.

Pour reprendre la thérapeutique des mêmes auteurs, voici un schéma de traitement de l'obésité, spécialement gynoïde :

« Prendre 50 gouttes au réveil et au coucher :

Tilia bourgeons (Mac. glyc.) 1 D	1 flacon
● le matin *Fucus* T.M.	1 flacon
● à midi *Pilosella* T.M.	1 flacon
● au dîner *Rhammus fr.* T.M.	1 flacon

---

(1) Max Tétau et Claude Bergeret. La Phytothérapie rénovée. Maloine.

« Localement :

Frictionnez deux fois par jour la région infiltrée avec l'onguent, après révulsion cutanée au gant de crin :

Hereda helix T.M.

Spiroea T.M.   5 g

Fucus T.M.

Solucire q.s.p. ....   100 g (1). »

Traitement doux, efficace, sans effets secondaires. Malheureusement le nombre de médecins pratiquant la phytothérapie est notoirement insuffisant. Il n'est pas sûr que le lecteur éloigné d'une grande ville puisse trouver un phytothérapeute. Quoi qu'il en soit, je précise que les remèdes mentionnés ci-dessus peuvent être délivrés en pharmacie.

OLIGO-ÉLÉMENTS

Les oligo-éléments correspondent à des métaux et métalloïdes présents dans l'organisme humain et animal, et aussi dans les plantes, mais à doses infinitésimales ainsi que l'origine grecque du mot *oligo* qui signifie : petit, peu nombreux, en faible quantité.

Les oligo-éléments désignent des corps simples présents dans nos tissus, nos cellules, à doses infimes. En France, c'est le docteur Jacques Ménétrier qui a mis en évidence le rôle des oligo-éléments et leur utilisation thérapeutique.

En effet, outre leur action biocatalytique, c'est-à-dire indispensable à certaines réactions biochimiques, ces éléments en quantités infinitésimales ont un rôle antitoxique et bactéricide spécifique et, surtout pour le sujet qui nous occupe, agissent comme modificateur du terrain, renforcent les phénomènes de nutrition et de respiration cellulaire.

C'est donc une ressource thérapeutique importante qui ne doit pas être négligée en raison de ses effets favorables

---

(1) *Op. cit.*, page 90.

sur toute l'économie. L'oligothérapie peut être superposée à l'homéopathie ou à la phytothérapie.

Dans le cas d'obésité accompagnée de troubles de l'activité des glandes endocrines, les associations indiquées seront :

Manganèse-Cobalt en alternance avec *Zinc-Cuivre* ou *Zinc-Nickel-Cobalt.*

Manganèse-Cobalt améliore le fonctionnement de l'appareil cardio-vasculaire, la perméabilité des capillaires et l'excrétion urinaire.

Zinc-Cuivre améliore ou corrige le fonctionnement des glandes endocrines.

Zinc-Nickel-Cobalt intervient dans les rapports entre la glande hypophyse et le pancréas dans sa fonction insulinique. Cette association a donc son indication quand l'assimilation des sucres est mal réglée et l'on sait l'importance de la régulation du glucose chez les obèses dont certains sont à leur insu dans un état prédiabétique.

Dans le cas d'obésité où le métabolisme de l'eau est déséquilibré on prescrira *Manganèse-Cobalt* comme ci-dessus mais en alternance avec *Potassium.*

*
* *

Ces oligo-éléments s'administrent par voie perlinguale en conservant dans la bouche, sous la langue, pendant trois minutes le contenu de l'ampoule ou de la dose. Ces remèdes sont préparés sous forme de gluconate, sel d'acide glucosique formé par oxydation du glucose en utilisant de l'eau de brome. « On sait, écrit le docteur Franck Mirce, qu'un gluconate est parfaitement assimilable et que, par exemple, le gluconate de calcium est d'un emploi courant en médecine, précisément en raison de sa facilité d'assimilation sous cette forme. »

Cadence des prises tous les trois jours, sauf cas particulier apprécié par le médecin. Ne jamais prendre deux associations le même jour mais une seule.

Par exemple *Manganèse-Cobalt* le mardi et, le jeudi suivant, *Zinc-Cuivre*.

Lorsque le résultat recherché commence à se manifester, espacer les prises à une fois par semaine, donc une association une semaine et la seconde la suivante.

On arrêtera quand l'amaigrissement souhaité aura été atteint.

HYDROTHÉRAPIE

L'hydrothérapie ou applications d'eau inspirée de l'abbé Kneipp est particulièrement recommandable. Les affusions ou douches, les bains et demi-bains, les lavages et enveloppements froids, alternés avec les applications chaudes, en sollicitant puissamment les phénomènes vasomoteurs, stimulent la circulation sanguine périphérique et profonde, soulagent le cœur, favorisent l'élimination des déchets. La méthode Kneipp opère véritablement un drainage général, combat les stases sanguines et humorales, les engorgements sanguins intra-organiques.

En outre, la cellule nerveuse se trouve fortifiée. Il s'agit donc d'un précieux auxiliaire de la cure d'amaigrissement.

Voici comment cette hydrothérapie doit être conduite suivant le docteur Jean Dermeyer :

« Tous les deux jours, en les alternant, affusion des cuisses et affusion supérieure ; deux fois par semaine, affusion dorsale et affusion fulgurante et demi-bain froid ; une fois par semaine, bain chaud aux fleurs de foin ou très chaud si on peut le supporter ; immédiatement après une affusion froide ; bain de vapeur complet court ou mieux sauna, une ou deux fois par semaine, à condition d'être sûr que le cœur est en bon état. Il faut du reste être très prudent à l'égard des cures de sudation. »

Il faut l'être d'autant plus que la sudation ne provoque qu'une perte sans diminuer en quoi que ce soit la masse de graisse ; perte d'eau rapidement compensée.

Cela dit, la méthode Kneipp ne doit être pratiquée qu'après une initiation. On ne peut faire des applications d'eau froide au petit bonheur. L'exposé des principes sortirait du cadre de cet ouvrage ; le lecteur devra donc se reporter à des manuels spécialisés, notamment à celui du docteur Jean Dermeyer, *Protection de la santé et Guérison par les cures d'eau.*

ARGILE

L'utilisation de l'argile renforce l'hydrothérapie Kneipp ainsi qu'Eric Nigelle l'a montré dans son livre *Pouvoirs merveilleux de l'argile.* L'enveloppement complet quotidien d'eau argileuse avec décoction de fleurs de foin donne d'excel-lents résultats à long terme. L'appliquer à sa convenance le matin ou le soir. Prendre également tous les soirs un bain de siège froid et deux fois par semaine un bain complet tiède, argile et fleurs de foin.

*
* *

Afin de bénéficier des vertus de l'argile, en faire des cures renouvelées par voie buccale suivant les indications de Nigelle : « L'argile par voie interne sera prise en général le matin à jeun, à raison d'une cuillerée à café d'argile dans un verre d'eau pure. Préparer la solution la veille de sorte que l'argile séjourne toute une nuit dans l'eau.

« Ne pas absorber cette dose les premiers jours de la cure. Commencer par un quart de cuillerée et augmenter progres-sivement, afin d'éviter à l'organisme des réactions trop bru-tales. On peut pousser jusqu'au seuil de la tolérance, mais ne pas dépasser deux cuillerées à café. »

Pour les autres précautions et les modalités d'initiation se reporter à l'ouvrage précité d'où est extraite cette citation.

Suivre ces cures au début, pendant trois semaines, puis s'arrêter pendant le même espace de temps et ensuite les reprendre une semaine par mois pendant six mois. Les renouveler ainsi chaque année.

*
* *

Pour marquer l'importance de l'argile, je voudrais faire une parenthèse, puisqu'il ne s'agit pas d'obésité mais du traitement de l'ulcère gastrique et me référer à un article paru dans « Actualité de la Médecine » n° 31. Ce texte fait état des travaux de l'académicien géorgien Kontaleladzé à partir de l'argile d'Askané. Qu'il me soit permis de le citer avec le commentaire d'Eric Nigelle :

« Askané est un gisement d'argile bentonitique de la Géorgie, situé près de la ville de Makharadzé. Cette argile donne lieu à une importante utilisation dans l'industrie chimique et métallurgique et les savonneries, la préparation des couleurs et vernis.

« L'argile bentonitique possède la propriété d'augmenter très visiblement de volume au contact de l'eau, de gonfler énormément. Son pouvoir absorbant et adsorbant est remarquable. L'adsorption est caractérisée par la faculté pour un corps de concentrer à la surface d'un autre corps, avec lequel il est en contact, des substances dissoutes ou dispersées dans cet autre corps. A la différence, le pouvoir absorbant est la capacité pour l'argile de faire entrer en elle des substances étrangères.

« Mais ce qui nous intéresse ici, c'est que l'académicien géorgien Kontaleladzé a mis au point un médicament provenant de cette argile bentonitique, le Tikha-Askané. Ce remède a été utilisé dans des centres hospitaliers, sous la direction d'un autre académicien géorgien, le professeur A. Aladachvili. Des succès très encourageants auraient été obtenus dans le traitement de certaines affections de l'estomac, notamment les ulcères.

« Donc, une découverte et des essais tout à fait officiels. Du reste, l'étude de l'argile-médicament du gisement d'Askané se poursuit. Une équipe de l'*Institut de Médecine* de Tbilissi, capitale de la Géorgie, effectue plus particulièrement des recherches pour le traitement des colites et des gastrites chroniques.

« Nous sommes très heureux de constater que la médecine officielle s'intéresse aux vertus thérapeutiques de l'argile. Elle peut, en effet, en tirer un excellent parti. Mais il ne faut pas cependant qu'elle nous présente cette découverte comme une nouveauté. Ce n'est plus exactement qu'une redécouverte.

« Il y a beau temps que la naturopathie a fait une place importante à l'argile-médicament. C'est un agent naturel de premier ordre. Pour ma part, j'ai publié un ouvrage intitulé *Pouvoirs merveilleux de l'Argile* qui précise les différents modes d'utilisation thérapeutique en usage interne et externe de cette roche.

« Il y a des décennies et des décennies que les naturopathes traitent l'ulcère par les cures d'argile, avec un pourcentage élevé de succès, sans tapage et sans communiqué à la grande presse — qui du reste ne les publierait pas —. On peut traiter aussi par ce moyen les gastrites, les colites, les diarrhées et entérites, les coliques et les parasitoses, les flatulences et l'aérophagie, les affections du foie et l'hépatite, la jaunisse et la lithiase.

« Est-ce tout ? Non, l'argile a son emploi dans la défense de la santé contre la fatigue et aussi dans les affections des voies urinaires et des voies respiratoires, dans les maladies du sang et des vaisseaux, dans les affections nerveuses et du squelette, dans les maladies de la peau et des métabolismes. Ce n'est certes pas une panacée, mais c'est un agent qui a un très large emploi. Utilisée avec les précautions qui conviennent, l'argile est sans toxicité et a très peu de contre-indications.

« La qualité bentonitique ne doit pas nous détourner de l'argile de chez nous. L'argile bentonitique n'a pas médicalement des pouvoirs différents de l'argile courante, elle a plus de capacité absorbante et adsorbante. Il existe en France des roches bentonites, notamment dans la région d'Apt (Vaucluse) si mes renseignements sont exacts, qui pourraient être exploitées si elles ne le sont déjà.

Nous souhaitons que la médecine française et européenne se penche sur cette question et expérimente à son tour cet agent thérapeutique naturel aux très grandes qualités. »

Donc vous pouvez utiliser l'argile avec confiance, en prenant bien entendu toutes les précautions qui conviennent.

CRÉNOTHÉRAPIE OU THERMALISME

Les cures thermales ou crénothérapie s'inscrivent dans la ligne de l'hydrothérapie Kneipp et constituent, elles aussi, un appréciable auxiliaire.

A l'évidence, le traitement hydrominéral doit stimuler l'activité des cellules et notamment celle des adipocytes, du foie et des glandes endocrines. Les stations jumelles de Brides-les-Bains (Savoie) et de Salins-Moutiers (Savoie) me paraissent, en France, être plus particulièrement indiquées à cet égard.

Brides convient pour les obésités de surcharge, fonctionnelles, et Salins pour les obésités où l'élément endocrinien domine. Ces eaux sont sulfatées, chlorurées, sodiques faibles.

Si l'obésité s'accompagne d'inquiétude avec prédominance des signes psycho-nerveux, ce seront les stations de Divonne (Ain), Néris (Allier) ou Plombières (Vosges) qui seront indiquées.

Dans les cas où une action diurétique douce, mais efficace, est nécessaire, le praticien prescrira une des eaux suivantes : Aulus (Ariège), Contrexéville (Vosges), Capvern (Hautes-Pyrénées), Thonon-les-Bains (Haute-Savoie), Vals (Ardèche), Evian (Haute-Savoie), Vittel (Vosges), etc.

Lorsque l'obésité se complique de dyspepsie, on indiquera Vichy (Allier).

Les obèses hypertendus pourront être dirigés sur Royat (P.D.D.), les colitiques sur Châtel-Guyon (P.D.D.) ; les porteurs de varices et d'affections veineuses à Bagnoles (Orne) ou à Barbotan (Gers).

*
* *

Bien évidemment ces cures en stations ne sont bénéfiques que dans la mesure où le sujet sait se discipliner, se reposer, se relaxer, profiter à plein de ce temps de désintoxication. Il doit en outre ne jamais perdre de vue que la cure est un moyen de consolidation des résultats acquis ou un bon départ, et non une possibilité de perdre rapidement des kilos, pour ensuite se livrer à nouveau à des excès de gourmandise, et redevenir ce qu'il n'avait jamais cessé d'être dans son esprit : un obèse déterminé.

En effet, les cures Kneipp, argileuses et hydrominérales n'ont que des effets temporaires, comme il en est de n'importe quel traitement, si le sujet n'a pas pratiqué son autopsychothérapie, autrement dit s'il n'a pas vaincu le mal à la racine qui est en lui-même.

Ce n'est qu'à ce prix qu'il sera en mesure de se rapprocher du poids de sa jeunesse, de s'y maintenir, d'être plus svelte et en meilleure santé.

CHIRURGIE

Pour en terminer avec les différents traitements de l'obésité, il nous faut voir maintenant quelles sont les ressources de la chirurgie et les critiques que l'on doit opposer à cette thérapeutique.

Il est évident que les chirurgiens ne considèrent l'acte opératoire que comme un complément du traitement médical et diététique de l'obésité.

Le but premier de cette intervention est d'éliminer ou réséquer les masses adipeuses qui ont envahi toute la zone sous-cutanée de l'abdomen. On conçoit aisément que cette élimination diminue, proportionnellement à la quantité de graisse soustraite, les restrictions diététiques qu'un obèse particulièrement pléthorique doit s'imposer.

Il est également possible de pratiquer la résection des masses graisseuses de la région fessière, du haut des cuisses, des seins ou lipectomie mammaire. Toutefois ces interventions ne peuvent avoir lieu que dans la mesure où l'amaigrissement du sujet est déjà bien avancé.

*
* *

Il existe aussi une autre technique chirurgicale : les courts-circuits digestifs. Il s'agit de diminuer la longueur de l'intestin grêle, afin de réduire très sensiblement le pouvoir d'assimilation du sujet. Le grêle est court-circuité dans sa quasi-totalité en l'anastomosant, c'est-à-dire en abouchant la portion restante au côlon.

Une autre technique consiste à court-circuiter l'estomac en l'anastomosant à la partie de l'intestin qui fait suite au duodénum : le jéjunum. Cette intervention réduit l'ingestion, ainsi que cela se produit dans l'ablation de l'estomac chez l'ulcéreux gastrique.

Cette chirurgie radicale entraîne un amaigrissement spectaculaire. Elle s'adresse à des obésités importantes, cela va sans dire. En six mois, la perte de poids oscille entre trente et quarante kilos. La diminution de l'embonpoint se poursuit ensuite régulièrement, puis le poids se stabilise au bout de trois ans.

Je dis tout de suite que je suis contre cette thérapeutique. Certes, on souligne que son indication n'est justifiée que si le traitement médicamenteux et diététique a échoué malgré une observance stricte, que ce genre d'intervention n'est pratiquée que si l'état général du patient est bon, s'il est indemne de lésions ou tares viscérales. Il n'empêche qu'une telle intervention constitue une grave mutilation.

On ne prive pas impunément un obèse d'une partie de son intestin grêle. Une telle amputation est du reste suivie d'une diarrhée continuelle qui ne s'atténue qu'avec beaucoup de difficultés. Le court-circuit intestinal ou gastrique n'est ni plus ni moins que la réalisation du tout-à-l'égout. L'opéré absorbe de la nourriture et celle-ci va, dans sa presque totalité, aux lieux d'aisance.

Les tenants de cette technique affirment que l'absorption

des protéines et des glucides est à peine troublée. Mais
elle l'est ! Les lipides ne franchissent plus ce qui reste
d'intestin. Parfait pour la rétention des corps gras par les
lipocytes. Hélas, l'organisme a besoin d'acides gras, notamment les viscères, le cœur. Or le taux des lipides sanguins
diminue exagérément, y compris celui du cholestérol. Le
foie est perturbé et souvent stéatosé, c'est-à-dire envahi de
granulations graisseuses.

Autre conséquence préjudiciable : le taux de potassium
dans le sang s'abaisse au-dessous de la normale, et un apport
supplémentaire de cet élément devient indispensable.

En dépit de l'optimisme affiché par certains auteurs, ces
interventions qui sont, je le répète, des mutilations, provoquent des perturbations profondes et dangereuses. Ici le
remède paraît être pire que le mal.

L'acte chirurgical qui consiste à enlever les masses de
graisses sous-cutanées ressortit davantage à la chirurgie
esthétique. C'est également le cas des interventions propo-
sées après amaigrissement. Il ne s'agit pas dès lors de
réséquer des dépôts de lipides, mais de soustraire la peau
en excès.

Je voudrais attirer l'attention sur un autre problème :
celui du risque chirurgical aggravé du fait même de l'obésité.
L'obèse comme n'importe quelle autre personne peut, à la
suite d'un accident ou pour une autre cause, être conduit
en chirurgie. Il doit savoir qu'il est exposé à davantage de
risques tant au cours de l'intervention qu'en ce qui concerne
les soins post-opératoires.

L'anesthésie détermine, comme chacun sait, une intoxication. Chez l'obèse, les doses doivent obligatoirement être
augmentées d'où un danger toxique accru, et cela d'autant
plus que les anesthésiques sont essentiellement solubles
dans les graisses ou liposolubles. Une fraction importante

se fixe donc dans le tissu adipeux du malade, et son élimination est beaucoup plus lente.

D'autre part, l'obèse consomme davantage d'oxygène qu'un sujet dont le poids est normal. Mais sa capacité thoracique est diminuée du fait de la masse abdominale qui occupe un volume exagéré, et exerce sur le diaphragme une poussée excessive. L'obèse est à son insu un insuffisant respiratoire. Il en résulte des difficultés au cours de l'anesthésie, en dépit de l'assistance respiratoire.

L'acte en lui-même est rendu plus difficile, en raison de l'infiltration graisseuse des organes, et cela d'autant plus que l'intervention doit être effectuée en profondeur.

Les suites opératoires sont plus longues en raison du risque plus grand de complications pulmonaires ; risque lié au défaut d'extension des alvéoles, conséquence de l'insuffisance de ventilation. Signalons aussi les dangers de thrombose, les difficultés rénales et hépatiques, les infections locales, étant donné la plus faible irrigation du tissu adipeux, les escarres.

*
* *

Donc l'obèse est d'une façon générale plus exposé aux risques opératoires que les autres malades. C'est une raison supplémentaire pour être circonspect à l'endroit des interventions qui ont pour objet la résection des masses graisseuses, et, infiniment plus encore, à l'égard de celles qui constituent une grave mutilation : les courts-circuits digestifs.

ALIMENTATION — DIÉTÉTIQUE

Nous abordons maintenant la partie la plus importante de cet ouvrage : la diététique de l'obèse. Nous avons vu que, dans l'immense majorité des cas, l'excès pondéral est lié à un excès de nourriture. Cela revient à dire que le contrôle de l'alimentation constitue l'axe de la lutte contre l'obésité.

Ce contrôle doit porter sur trois plans : l'apport calorique des trois grands nutriments : protéines, glucides, lipides ; l'équilibre alimentaire, de sorte qu'aucune carence ou subcarence ne vienne compromettre l'intégrité du sujet ; le minimum calorique à déterminer, en rapport avec la cadence de réduction de la surcharge pondérale.

Rappelons, à propos des calories, qu'un gramme de protéines produit 4,2 calories ; un gramme de lipides 9,3 calories ; 1 gramme de glucides 4,1 calories. Cependant, nous avons vu que l'action dynamique spécifique entraîne une diminution de l'utilisation calorique. La différence représente le coût calorique de l'utilisation cellulaire des nutriments.

Toutefois, pour éviter au lecteur toute complication arithmétique, étant donné l'objet même de ce livre, les indications caloriques qui suivront correspondent aux valeurs théoriques à savoir :

1 g de protéines = 4 calories.
1 g de lipides = 9 calories.
1 g de glucides = 4 calories.

*
**

Quand on décide un régime amaigrissant, il importe d'avoir une alimentation parfaitement équilibrée. Les quantités doivent être réduites à condition de respecter les proportions entre les nutriments et de n'en éliminer aucun. On peut s'abstenir pendant quelque temps de corps gras, mais il ne serait pas sage de bannir définitivement une ration d'huile polyinsaturée et de beurre frais.

Ne jamais confondre réduction et suppression.

Enfin la diminution de l'apport calorique, même si l'impératif de l'équilibre diététique est respecté, ne doit pas confiner au régime de famine. Sans doute, il est possible de s'en tenir pendant un temps relativement court à mille calories, et même à un apport inférieur — nous verrons aussi qu'il est salutaire parfois d'atteindre zéro calorie, autrement dit de pratiquer un jeûne sous contrôle — mais il serait dangereux de fixer définitivement l'apport à moins de mille cinq cents calories.

Un régime établi à mille calories peut entraîner une perte de poids de six cents à mille grammes par semaine, selon les sujets. Cet apport est peu compatible avec l'exercice d'un travail normal. Les obèses soumis à cette restriction doivent donc être au repos.

Mille cinq cents à mille huit cents calories peuvent permettre une perte pondérable de trois cents à cinq cents grammes par semaine, et cela donne d'excellents résultats, suivant les nombreuses expériences dont j'ai été le témoin. A condition de persévérer.

*
* *

Ce sont ces règles qui m'ont guidé dans la mise au point d'une diététique de l'obèse. Il est évident que pour les appliquer, il faut d'abord connaître la valeur calorique des différents aliments en consultant les tableaux ci-après :

APPORT CALORIQUE DES DIFFÉRENTS NUTRIMENTS
PAR 100 GRAMMES

ALIMENTS	Calories des			Calories totales
	Protéines	Lipides	Glucides	
Viandes				
Agneau côtelettes	60	270	—	330
Agneau gigot	75	150	—	225
Bœuf aloyau, filet	70	194	—	264
Bœuf bifteck maigre	76	135	—	211
Bœuf côtes	70	190	—	260
Bœuf culotte	70	220	—	290
Bœuf corned-beef	100	108	8	216
Bœuf épaules	80	100	—	180
Bœuf gras	100	225	—	325
Veau	72	100	2	174
Cheval	88	18	4	110
Mouton gras	70	175	—	245
Mouton côtelettes	75	135	—	210
Porc maigre filet	70	216	2	288
Porc gras épaule et côtes	60	270	2	332
Charcuterie				
Andouillettes	102	216	6	324
Boudin cru	80	360	—	440
Cervelas	156	354	—	510
Chair à saucisse	80	315	—	395
Jambon gras	64	334	2	400
Jambon maigre	80	180	2	262
Mortadelle	156	334	—	490
Pâté de foie gras	60	396	8	464
Pâté de lièvre	100	190	—	290
Rillettes	88	522	—	610
Salamis	160	340	—	500
Saucisse Francfort	60	126	—	186

ALIMENTS	Calories des			Calories totales
	Protéines	Lipides	Glucides	
Saucisse de porc	60	360	—	420
Saucisson d'Arles	100	450	—	550
Saucisson de Lyon	152	334	—	486
Saucisson de Vienne	60	144	—	204
Gibier et volailles				
Canard	80	72	—	152
Chevreuil	80	18	—	98
Dindon	100	108	—	208
Faisan	88	18	—	106
Grive	88	18	—	106
Lapin gras	88	135	—	223
Lapin maigre	96	18	4	118
Lièvre	92	33	—	125
Perdrix	100	9	—	109
Pigeon	102	18	—	120
Poule, poularde	72	216	—	288
Poulet	80	63	—	143
Sanglier	84	27	—	111
Œufs				
2 œufs en moyenne (100 à 110 g)	52	96	2	150
Jaune d'œuf (100 g)	64	288	2	354
1 jaune				55
Blanc d'œuf	44		4	48
1 blanc				20
Omelette	16	190	44	250
Tripes et abats				
Cervelle de bœuf	40	81	16	137
Cervelle de mouton	32	91	4	127
Cœur de bœuf ou veau	68	63	4	135

ALIMENTS	Calories des			Calories totales
	Protéines	Lipides	Glucides	
Foie de bœuf	80	36	16	132
Foie de porc	84	45	6	135
Foie de veau	84	45	20	149
Langue de bœuf	64	162	—	226
Langue fumée	96	288	—	384
Moelle	12	828	—	840
Ris de veau	88	36	—	124
Rognons	68	54	2	124
Tripes à la mode de Caen (sans sauce)	84	135	—	219
Poissons				
Ablette	68	72	—	140
Aiglefin	68	4	—	72
Anchois salé	88	63	4	155
Anguille	60	180	—	240
Anguille fumée	72	270	4	346
Bar ou loup	76	9	—	85
Barbue	76	9	—	85
Brochet	76	9	—	85
Cabillaud	66	9	—	75
Carpes	72	18	—	90
Caviar d'esturgeon	120	160	30	310
Caviar de saumon	144	156	—	300
Colin	68	14	—	82
Daurade	70	10	—	80
Esturgeon	80	40	—	120
Hareng frais	68	63	—	131
Hareng fumé	80	108	—	188
Hareng saur	80	117	—	197
Limande	66	9	—	75
Maquereau frais	76	76	—	152
Maquereau à l'huile	80	145	—	225
Merlan	66	5	—	71
Morue fraîche	62	8	—	70

ALIMENTS	Calories des			Calories totales
	Protéines	Lipides	Glucides	
Morue salée	104	10	—	124
Morue sèche	300	20	—	320
Perche	80	10	—	90
Raie	80	10	—	90
Sardine fraîche	72	90	—	162
Sardine à l'huile	80	135	—	215
Saumon frais	90	108	—	198
Saumon en conserve	80	90	—	170
Sole	66	9	—	75
Tanche	74	4	—	78
Thon frais	80	126	—	206
Thon à l'huile	100	172	—	272
Truite	70	20	—	90
Truite saumonée	75	55	—	130
Turbot	72	48	—	120
Coquillages et crustacés				
Bigorneaux	78	20	—	98
Clovisses	52	10	2	64
Coquilles Saint-Jacques	56	12	4	72
Crabes frais	64	14	6	84
Crabes en conserve	68	27	6	101
Crevettes	64	18	8	90
Ecrevisses	60	9	6	75
Escargots	64	9	4	77
Homard frais	66	18	2	86
Homard en conserve	72	18	4	96
Huîtres	36	18	24	78
Moules	48	18	8	74
Palourdes	88	72	6	166

ALIMENTS	Calories des			Calories totales
	Protéines	Lipides	Glucides	
Lait, laitages et fromages				
Babeurre	14	18	3	35
Brie	102	198	4	314
Camembert	80	220	10	310
Chester	114	288	8	410
Chèvre	132	153	60	345
Crème fraîche	26	225	14	265
Crème fouettée	22	274	14	310
Emmenthal	120	270	10	400
Fromage blanc écrémé	80	5	10	95
Fromage entier	80	90	10	180
Fromage caillé	70	120	10	200
Gervais	52	345	8	405
Gruyère	120	273	12	405
Hollande	114	220	6	340
Kéfir	20	27	3	50
Lait de vache ou de chèvre	14	36	20	70
Lait condensé	32	93	40	165
Lait condensé sucré	40	90	220	350
Lait écrémé	16	9	20	45
Lait en poudre entier	100	255	150	505
Lait en poudre écrémé	160	15	200	375
Munster	80	213	12	305
Parmesan	140	270	—	410
Port-Salut	100	270	10	380
Roquefort	92	270	18	380
Yaourt	20	40	—	60

ALIMENTS	Calories des			Calories totales
	Protéines	Lipides	Glucides	
Huiles et graisses				
Beurre frais	3	755	2	760
Beurre fondu	3	900	2	905
Huile en général	—	900	—	900
Huile de paraffine (inassimilable)	—	0	—	0
Lard demi-gras	60	420	—	480
Lard fumé ou salé	40	745	—	785
Margarine	10	770	—	780
Saindoux	8	792	—	800
Céréales et pains				
Avoine	36	42	282	360
Biscottes	50	34	296	380
Biscuits	36	24	360	420
Farine de blé blutée à 85 %	40	14	296	350
Farine de maïs	36	28	280	344
Farine d'orge	46	18	280	344
Farine de riz	30	5	320	355
Fécule de pommes de terre	16	9	300	325
Farine de seigle	36	9	300	345
Flocons d'avoine	64	63	268	395
Germe de blé	110	80	186	376
Gruau d'avoine	66	54	280	400
Maïs grains	38	40	276	354
Massepain	40	252	188	480
Orge perlé ou malt	34	9	312	355
Pain grillé	56	14	220	290
Pain blanc	34	6	220	260
Pain complet	28	8	204	240
Pain d'épices	62	8	290	360
Pain de seigle	32	8	210	250

ALIMENTS	Calories des			Calories totales
	Protéines	Lipides	Glucides	
Pâtes alimentaires	48	12	300	360
Riz poli	26	9	320	355
Seigle	28	9	306	343
Semoule	46	9	300	355
Légumes secs				
Fèves	100	15	230	345
Haricots	84	13	240	337
Lentilles	100	18	224	342
Pois cassés ou secs	92	16	228	336
Pois chiches	72	45	268	385
Tapioca	10	- -	340	350
Légumes frais				
Artichaut	15	3	48	66
Asperge	10	—	8	18
Aubergine	4	2	22	28
Betterave rouge	6	1	38	45
Bette feuille	8	5	20	33
Carde	8	4	20	32
Carotte	4	1	40	45
Céleri cru feuille	5	3	12	20
Céleri-rave	9	2	34	45
Champignon de couche	16	3	24	43
Chicorée	4	—	18	22
Chou ordinaire	7	2	24	33
Chou de Bruxelles	16	6	32	54
Choucroute	5	3	20	28
Chou-fleur	10	2	20	32
Chou-rave	8	3	24	35
Chou rouge	8	2	28	38
Citrouille	5	1	32	38
Concombre	4	1	8	13
Courge	5	1	32	38

ALIMENTS	Calories des			Calories totales
	Protéines	Lipides	Glucides	
Courgette	4	1	31	36
Cresson	4	—	18	22
Crosnes	8	2	66	76
Endives	4	—	22	26
Epinards	10	2	24	36
Haricots verts	10	1	30	41
Haricots verts en conserve	4	1	16	21
Laitue	4	1	14	19
Mâche	10	4	21	35
Navets	4	2	24	30
Oignons frais	6	2	40	48
Oignons secs	36	12	250	298
Olives noires	24	116	20	160
Olives vertes	30	153	32	215
Oseille	4	2	26	32
Panais	6	—	52	58
Patates douces	12	2	112	126
Petits pois frais	14	4	42	60
Pissenlits	2	—	20	22
Poireau	4	2	36	42
Pomme de terre	8	1	80	89
Pomme de terre purée	16	2	160	178
Pommes de terre frites	16	124	160	300
Piment ou poivron	6	2	30	38
Potiron	5	1	32	38
Radis	4	1	15	20
Rhubarbe	4	—	18	22
Romaine	4	—	12	16
Rutabaga	5	1	28	34
Salsifis	4	9	60	73
Scarole	4	—	16	20

ALIMENTS	Calories des			Calories totales
	Protéines	Lipides	Glucides	
Tomate	5	1	16	22
Topinambour	8	2	68	78
Fruits frais				
Abricots	3	1	48	52
Amandes fraîches	24	20	12	56
Ananas frais	2	1	52	55
Ananas en conserve	2	1	98	101
Avocat	12	200	50	262
Banane	5	1	92	98
Brugnon	3	1	60	64
Cantaloup (melon)	4	—	26	30
Cassis	4	—	56	60
Cerise	5	4	68	77
Châtaignes fraîches	16	24	160	200
Coing	2	2	32	36
Figues fraîches	5	3	80	88
Fraises	3	5	32	40
Fraises des bois	4	—	26	30
Framboises	4	4	52	60
Grenade	3	1	78	82
Groseilles	4	4	46	54
Groseilles à maquereaux	3	5	42	50
Mandarines	3	1	40	44
Melon	—	4	30	34
Mûres	5	9	44	58
Myrtilles	5	5	42	52
Nèfles	2	3	92	97
Noix de coco fraîche	16	360	36	412
Oranges	5	1	44	50
Pamplemousse	2	1	40	43
Pastèque	2	1	27	30

ALIMENTS	Calories des			Calories totales
	Protéines	Lipides	Glucides	
Pêches	2	1	48	51
Pêches au sirop en conserve (pêches seules)	3	1	106	110
Poires	1	3	56	60
Poires au sirop (poires seules)	1	3	110	114
Pommes	1	3	60	64
Prunes	2	2	52	56
Raisin	3	9	68	80
Fruits secs				
Abricots secs	20	4	260	284
Amandes séchées	84	486	70	640
Arachides ou cacahuètes décortiquées	108	414	72	594
Châtaignes sèches	28	46	296	370
Dattes	9	5	300	314
Figues	17	9	258	284
Noisettes	56	540	60	656
Noix	60	498	56	614
Pruneaux	9	5	280	294
Raisins secs	6	14	280	300
Sucreries Pâtisseries				
Banane (tarte à la)	36	140	204	380
Biscuits	36	72	312	420
Brioche	34	120	210	364
Cacao	96	180	132	408
Cake	36	100	184	320
Cerise (tarte à la)	36	140	220	396
Chocolat	28	216	256	500
Chocolat au lait	30	220	330	580

ALIMENTS	Calories des			Calories totales
	Protéines	Lipides	Glucides	
Chocolat aux noisettes	36	234	296	566
Confitures (valeur calorique moyenne)	2	—	268	270
Crème glacée	60	90	250	400
Crème fouettée	12	270	12	294
Gelée de fruit	4	—	276	280
Gaufres	34	66	280	380
Macarons	36	70	304	410
Madeleines	36	120	294	450
Bonbons	—	—	380	380
Marmelade	4	—	286	290
Miel	1	—	325	326
Pain d'épice	62	8	290	360
Pâte feuilletée	24	315	200	539
Pâtisserie (en moyenne)	28	212	290	530
Pêches Melba	30	70	280	380
Pêches (tarte aux)	36	140	184	360
Pommes ou Poires (tarte aux)	36	140	220	396
Sirop	—	—	280	280
Sucre	—	—	395	395
Tarte (en moyenne)	36	140	204	380
Jus de fruit et boissons sucrées				
Abricot	6	2	68	76
Ananas	2	2	110	114
Carotte	4	1	40	45
Citron, jus frais	3	5	32	40
Limonade	—	—	46	46
Orange	3	1	46	50

ALIMENTS	Calories des			Calories totales
	Protéines	Lipides	Glucides	
Pamplemousse jus frais	1	1	40	42
Pamplemousse jus en conserve sucré	2	2	76	80
Pomme	1	1	78	80
Raisin	4	1	75	80
Tomate	6	2	17	25
Divers				
Potages (en moyenne)	8	18	28	54
Café nature (sans lait ni sucre) 70 g pour 1 000 g d'eau	4	—	—	4
Thé nature, 10 g pour 1 000 g d'eau	—	—	—	0

| Boissons alcoolisées Liqueurs 100 cm³ | Calories des | | | Calories totales |
	Protéines	Alcool	Glucides	
Alcool	—	700	—	700
Anisette	4	360	—	364
1 petit verre				125
Bénédictine	—	231	132	363
1 verre à liqueur				100
Bière	2	33	16	51
Champagne				
1 coupe	1	77	16	94
Cherry	—	235	144	379
1 verre à liqueur				110
Cidre	—	22	18	40
Cognac	—	300	30	330
1 verre à liqueur				74
Curaçao	—	210	110	320
Eau de vie	—	290	—	290
Gin	—	300	—	300
Madère	—	100	40	140
Malaga	—	100	60	160
Menthe liqueur	—	210	100	310
Rhum	—	308	8	316
1 verre à liqueur				78
Vin sec	—	63	2	65
Vin doux	—	70	15	85
Whisky	—	295	5	300

Rappelons à nouveau que les valeurs caloriques mentionnées dans ces tableaux, et toutes les indications qui suivront, notamment dans les exemples des menus, ont été calculées pour les différents nutriments sur les valeurs théoriques suivantes :

1 g de protéines = 4 calories
1 g de lipides   = 9   »
1 g de glucides = 4   »

*
* *

Les taux des trois nutriments et les valeurs caloriques des tableaux ci-dessus ont été établis en s'inspirant des travaux de Mme Lucie Randoin et de ses collaborateurs, Tables de composition des aliments (Lanore, éditeur), de Chemical composition of foods de Mc Cance et Widdowson et de mes propres recherches.

Il s'agit bien entendu de moyennes susceptibles, notamment pour les aliments à teneur élevée en lipides et pour les produits animaux et leurs dérivés, d'accuser certaines variations selon la saison et le mode d'élevage.

CALORIES ET UNITÉS

A partir de la détermination de la valeur calorique des aliments, les nutritionnistes américains ont mis au point une méthode dite des unités. Il s'agit d'une tentative en vue de déterminer la quantité minimale de base des différents nutriments pour produire l'activité nutritionnelle envisagée.

A l'intérieur des différents groupes d'aliments, ces unités donnent les chiffres suivants :

Groupes Viande - Poisson - Œuf
1 unité = 6 g de protéines =   24 calories

Groupe Lait - Produits laitiers
1 unité = 7 g de protéines =   28 calories

Groupe Corps gras
1 unité = 7 g de lipides =   63 calories

Groupe Pains - Céréales - Farineux
1 unité (complexe) =   38 calories

Sous-groupe Sucre
1 unité = 15 g de glucides =   60 calories

Groupe Légumes - Fruits crus
1 unité (complexe) =   40 calories

Je n'insisterai pas davantage sur cette méthode d'évaluation étant donné que, dans le cours de cet ouvrage, et notamment lorsque seront donnés des exemples de menus à 800,

1.000, 1.250, 1.500 et 1.800 calories, il ne sera pas fait référence aux unités d'alimentation.

Quoi qu'il en soit, si pour une raison ou une autre vous étiez dans l'obligation d'utiliser la méthode des U.S.A. il vous serait facile d'opérer les conversions nécessaires en faisant pour chaque cas une règle de trois.

RÉGIMES HYPOCALORIQUES

L'examen de ces tableaux fait apparaître en premier lieu que les produits laitiers (si l'on excepte le lait) et tous les aliments riches en corps gras ont un pouvoir calorique très élevé.

A l'inverse les légumes, les crudités, les fruits acides et aqueux ont la valeur énergétique la plus faible.

Le problème pourra-t-il être réglé en remplaçant les premiers par les seconds ? Cette substitution est possible pour un temps. Je rappelle en effet qu'une des conditions de la bonne santé réside dans l'alimentation équilibrée, ce qui revient à dire qu'aucun nutriment (protéines, lipides, glucides, calcium, phosphore, sels minéraux, ainsi que les biocatalyseurs que sont les vitamines et les oligo-éléments), ne doit être éliminé. Je reviendrai plus loin sur ce point.

Quel que soit le régime hypocalorique institué, celui-ci devra être complet et agréable, adapté à sa susceptibilité digestive quant au choix des aliments.

Il devra en outre être peu salé pour diminuer l'excitation de l'appétit et, à la longue, freiner le fonctionnement de la cortico-surrénale.

Restriction de sel ou chlorure de sodium à ne pas confondre avec sa suppression. Rien ne doit être définitivement supprimé, faute de quoi le déséquilibre introduit exposerait à une diminution de la masse musculaire avec asthénie consécutive, et altération de la peau, à la fatigue cardiaque, à une menace sur le rein.

Cela étant admis, un régime hypocalorique impose de peser les aliments, du moins au début, afin de ne pas dépas-

ser la valeur énergétique fixée. La servitude de la pesée est facile à observer à l'aide d'une petite balance de table du moins les premiers temps. En effet, l'habitude est vite prise de la détermination de la quantité au coup d'œil. Il faut néanmoins faire des contrôles réguliers de ses évaluations ; en d'autres termes ne pas s'empresser de mettre sa petite balance au grenier.

*
* *

Faut-il réduire brusquement les quantités, passer par exemple de 4.000 calories à 1.500 du jour au lendemain ? La question est controversée. J'incline pour une diminution progressive, sauf nécessité thérapeutique bien entendu.

En diminuant le pouvoir calorique de l'alimentation de 100 calories tous les deux ou trois jours, voire toutes les semaines, il est possible de parvenir aisément à la quantité prescrite. Le sujet évite ainsi la phase de découragement, il s'habitue à manger moins et la diminution pondérale intervient progressivement.

RÉDUCTION CALORIQUE

J'ai indiqué ci-dessus que la valeur calorique de l'alimentation peut être abaissée progressivement à 1.500 calories. On admet que la ration normale est de 30 calories par kilogramme-poids du sujet. Une femme de 1 m 65, âgée de 35 ans, ayant un squelette moyen et pesant 61 kg doit avoir une ration calorique quotidienne de 61 x 30 = 1.830 calories ; un homme de 1 m 75 du même âge, squelette moyen, 70 kg, une ration 70 x 30 = 2.100 calories.

Dans le cas de personnes obèses, de même taille que les exemples choisis et dépassant pour le sexe féminin 68-70 kg, et pour le sexe masculin 75-80 kg, il n'est pas difficile de descendre à 1.500 calories. Il est même possible de diminuer davantage cette ration et d'atteindre 1.000 calories. Il faut, c'est évident, beaucoup de volonté. Mais cette réduction globale ne présente aucun danger étant donné que les réserves graisseuses vont pouvoir être utilisées, et que l'importance du pannicule adipeux chez l'obèse empêche la déperdition calorique.

La réduction doit porter essentiellement sur les glucides et les lipides. L'examen des tableaux précédents montre l'importance du pouvoir calorique de ces aliments.

En outre nous avons vu que les glucides non utilisés se transforment en graisse accumulée dans les lipocytes. Chez les personnes dont le poids est normal, la ration glucidique d'entretien est de l'ordre de 6 à 7 g par kilo de poids souhaitable, soit pour 70 kg, 420 à 490 g de glucides par jour, et pour 61 kg, 316 à 427 g.

L'obèse devra réduire sa ration de glucides à 1,5 g par kilo de poids souhaitable correspondant à sa taille.

Pour reprendre les exemples ci-dessus — obèse de 1 m 65 et obèse de 1 m 70 — la réduction glucidique sera respectivement de 61 kg x 1,5 = 91,5 g et 70 x 1,5 = 105 g par jour.

Il est facile en consultant les tableaux de la valeur calorifique des aliments de choisir ceux permettant de ne pas dépasser cette ration soit 91 x 4 = 364, ou 105 x 4 = 420 calories glucidiques.

Par exemple pour 364 calories :

80 g de pommes de terre fournissent 65 calories glucidiques.

400 g de légumes et salade fournissent 100 calories glucidiques.

400 g de fruits frais fournissent 200 calories glucidiques.

En ce qui concerne les graisses, il faut réduire la ration de beurre à 10 g par jour, afin de pouvoir absorber en outre une cuillerée à soupe d'huile polyinsaturée genre tournesol, noix ou pépins de citrouille, dont les acides gras essentiels sont un indispensable facteur de santé.

Cette ration beurre et huile polyinsaturée à laquelle s'ajouteront les lipides des aliments protéiques (même ceux réputés maigres, voir les tableaux) permettra de couvrir le besoin minimum de lipides qui peut descendre au-dessous de 1 g par kilo de poids souhaitable.

*
* *

Quant à la ration de protéines, elle ne subira aucune restriction. Elle sera donc maintenue à 1 g par kilo de poids souhaitable, soit pour une personne de 70 kg, 70 g de protéines. Il ne faut à aucun prix, en effet, que le sujet en lutte contre l'obésité subisse un déficit d'aliments azotés, déficit qui constituerait une menace sur le système musculaire, exposerait à la flaccidité des muscles, et nuirait à la fois à l'esthétique et à la santé.

Par exemple :

— 100 g de bifteck fournissent 100 calories protéiques, soit 25 g de protéines.

— 100 g de limande fournissent 66 calories protéiques, soit 16 g de protéines.

— 500 g de lait écrémé fournissent 80 calories protéiques, soit 20 g de protéines.

— 50 g de caillé fournissent 35 calories protéiques, soit 9 g de protéines.

La couverture des besoins quotidiens protéiques peut ainsi être obtenue par un choix semblable d'aliments. Je répète qu'il ne s'agit que d'un exemple. On n'est pas tenu de manger de la viande et du poisson chaque jour.

Un végétarien peut très bien substituer définitivement les produits laitiers et les œufs à la viande. D'autre part, les céréales fournissent une partie de protéines.

BIOCATALYSEURS

Les biocatalyseurs sont les vitamines, les oligo-éléments, les enzymes. Ce sont des corps biochimiques qui ne fournissent pas de calories, donc ne sont pas utilisés pour la production d'énergie, mais sont indispensables aux multiples échanges et réactions chimiques sans lesquels l'équilibre organique serait impossible.

Je ne vais pas développer ici cette question capitale. Je l'ai fait dans mon livre *Connaître et utiliser les vitamines*. Je me permets de vous y renvoyer. En ce qui concerne les sels minéraux et les oligo-éléments, je vous signale l'ouvrage du docteur Frank Mirce *Les sels minéraux et la santé de l'homme*.

Les enzymes ou ferments sont aussi des biocatalyseurs indispensables. Prenons un exemple simple : l'ingestion de la viande. Les protéines animales que cet aliment contient doivent être, comme chacun sait, digérées, c'est-à-dire dénaturées afin d'en extraire les acides aminés, qui sont ensuite utilisés par les cellules des différents tissus pour reconstituer des protéines humaines différenciées. Or ces phénomènes de digestion et d'assimilation ne sont possibles que par l'action constante des enzymes.

Il en est de même pour tous les autres produits complexes fournis par l'alimentation qui doivent être réduits en produits simples que l'on appelle métabolites. Véhiculés par le sang, ils sont absorbés par les cellules qui les soumettent, toujours avec le concours des enzymes, à une dégradation encore plus poussée pour en faire des matériaux spécifiques de la matière vivante s'intégrant parfaitement aux cellules, aux tissus.

Nous sommes là au cœur même du phénomène de l'entretien de la vie. La cellule possède aussi la propriété remarquable de coordonner ses activités biochimiques. Les enzymes interviennent à tous les autres stades de la vie : dans le phénomène de la respiration avec le concours de *l'anhydrase*. dans la formation des os, et, d'une manière déterminante, dans le fonctionnement du système nerveux par l'action de la *cholinestérase*.

Il existe encore d'autres substances complexes de nature enzymatique combinées à certaines vitamines. Par exemple, la *coenzyme A* dont le substrat protéique est associé au magnésium et à la vitamine B1 ; et la *cocarboxylase* qui est elle-même une coenzyme.

Ces observations bien sommaires ne sont introduites ici que pour marquer l'importance des biocatalyseurs, et par conséquent la nécessité, je le souligne à nouveau, d'une alimentation complète. Réduction calorique certainement, et c'est le but de cet ouvrage, mais réduction sans carences des nutriments ni des biocatalyseurs.

L'alimentation complète fournira donc les quantités minimales de protéines, lipides et glucides et, en même temps, les vitamines, les oligo-éléments et les sels minéraux. Je ne cite pas les enzymes parce que ces substances biocatalytiques sont produites par l'organisme au moment du besoin, cette production est déterminée par l'enzyme elle-même qui agit sur une substance voisine appelée proferment ou proenzyme. Mais il est évident que si l'alimentation est déséquilibrée, carencée, il s'ensuivra une perturbation de l'activité enzymatique, entraînant des maladies des métabolismes.

SURVEILLANCE RÉGULIÈRE

Une fois le régime institué et pratiqué avec la plus grande assiduité, il s'agit d'en surveiller régulièrement les résultats par les deux moyens suivants :

● Pesée bihebdomadaire effectuée sur une bascule à 100 g près, afin de suivre avec précision la courbe pondérale. Se peser chaque jour à la même heure, de préférence le matin, et noter le poids et la date sur un carnet ou sur du papier graphique suivant modèle ci-dessous.

Se procurer une feuille millimétrée.

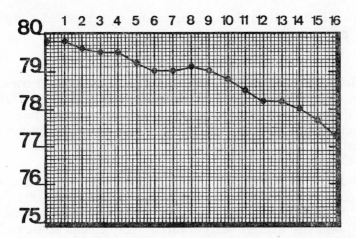

En abscisse ou coordonnée horizontale, marquer les dates ou plus simplement les cadences bihebdomadaires des pesées au moyen de chiffres, 1, 2, 3, 4, 5, 6, 7, 8, 9, 10, 11, 12, 13, 14, 15, etc., de 5 millimètres en 5 millimètres.

L'ordonnée ou ligne verticale, servira à suivre les variations pondérales. Mentionner en haut son poids actuel et noter ensuite les variations observées au fur et à mesure des pesées. Chaque millimètre vertical équivaut à 100 g. Si le régime est bien suivi la ligne résultant de l'intersection de l'horizontale et de la verticale ou de l'abscisse et de l'ordonnée devra être régulièrement descendante, c'est-à-dire tendre vers le poids souhaitable. Cependant, si une légère reprise de poids est observée par suite d'un écart à l'occasion d'une fête, il ne faut surtout pas se décourager, mais reprendre son régime avec détermination afin de renouer avec la ligne descendante.

L'utilisation du papier millimétré offre l'avantage de donner une représentation parlante des résultats, de suivre sa situation avec précision, et ce n'est pas sans satisfaction que les obèses considèrent la ligne obtenue sur le graphique être comme un reflet de celle recherchée pour leur corps.

● Prendre ses mensurations tous les huit ou quinze jours : tour de poitrine, tour de taille, tour de hanches ; les noter

avec mention de la date sur le même carnet, ou en marge
du papier millimétré.

*
* *

Ce double contrôle est très important car il vous permet
d'observer régulièrement sa régression vers le poids souhaitable. Régression lente parce que toute perte de poids rapide,
spectaculaire est peu durable et risque d'être dangereuse
ainsi que je l'ai montré dans le traitement médicamenteux
de l'obésité.

● Régression lente aussi, étant donné qu'il faut s'habituer
à manger moins. En ne passant pas de but en blanc à la
ration de 3.500 ou 4.000 calories à 1.500, vous vous habituerez à moins manger sans souffrir moralement et surtout
sans souffrir de la faim. Vous vous habituerez à ne plus
connaître la sensation de réplétion, et vous serez heureux ou
heureuse de moins manger et de mieux manger, intégrant
ainsi cette diminution quantitative et cette amélioration
qualitative dans un art de vivre qui est un des éléments
importants de l'aptitude au bonheur.

● **La diminution des rations par l'alimentation pesée vous
permettra de « vous lever de table avec un léger appétit »,
règle universelle de la bonne santé et de l'entrain.**

● La diminution des rations doit aller de pair avec
l'allongement du temps des repas. Pour atteindre ce but
manger lentement et mâcher à fond les aliments. Les personnes qui ont tendance à grossir et les obèses mangent en
général très vite, trop vite. Ce sont des tachyphages. L'inver-
sion de cette tendance est indispensable. C'est une autre
règle de santé.

● **Ne supprimez pas systématiquement un des repas et
surtout pas le petit déjeuner. La quantité de calories auxquel-
les vous avez droit doit être répartie en trois repas, moins
un certain chiffre, 100 à 150 calories en vue de prendre une
collation entre les repas. Cette pratique vous aidera à mieux
suivre votre régime. Le petit déjeuner est important, il ouvre**

votre journée et s'il est suffisant vous permet d'éviter le pénible coup de pompe de onze heures.

• Entre les repas vous pouvez consommer des fruits dans les limites des calories prévues. Ces fruits tempéreront votre faim et vous apporteront des vitamines, des oligo-éléments, des sels minéraux dont j'ai souligné ci-dessus l'importance.

Ces fruits auxquels vous pouvez ajouter un verre de lait ou un yaourt, une tranche de pain grillé ou non, dans la limite de la ration calorique globale, donnent à certains, et ils sont nombreux, l'illusion de manger souvent et ainsi de maintenir un de leurs plaisirs de vivre, de se sentir plus confortables.

Du reste, la question de la répartition des repas n'est qu'une convention. Ce qui ne l'est pas, c'est la valeur globale calorique des aliments ingérés, et celle-ci ne doit pas dépasser celle définie, si l'on veut régresser vers le poids souhaitable, s'y maintenir et accéder à une meilleure santé.

• Donc s'en tenir strictement à la valeur globale calorique et, j'y insiste à nouveau, peser ses aliments pour déterminer cette valeur. Et tout en respectant la règle de l'alimentation complète, réduire très sensiblement les aliments à haut pouvoir calorifique et lipogène, ce qui revient à dire que les friandises, pâtisseries lourdes, confiseries doivent être strictement éliminées.

• La répartition de votre ration doit être telle, et c'est une règle impérative, que vous n'ayez jamais d'effort à faire, de problèmes à régler à jeun, en état d'hypoglycémie ou insuffisance de glucose dans le sang. N'oubliez jamais qu'il y a risque d'accidents si vous conduisez une automobile en état d'hypoglycémie, si vous utilisez une machine-outil ou tout autre instrument ou engin qui requiert de l'attention et la pleine possession de vos réflexes. Or si votre petit déjeuner est insuffisant, vous êtes en état d'hypoglycémie à partir d'une heure trente minutes avant le déjeuner. Si vous n'avez pas consommé quelques fruits ou jus de fruits ou lait, vous pouvez être dans le même état l'après-midi, avant la fin de votre travail.

• Manger plus souvent, c'est-à-dire plus de trois fois par jour ne fatigue pas l'estomac. D'aucuns soutiennent le contraire ; ils ont tort. Ce n'est pas la cadence d'alimentation qui risque de léser le tube digestif mais la quantité et la nature des aliments ingérés. Les grandes quantités d'aliments insuffisamment mâchés provoquent la dilatation de l'estomac, lésion préjudiciable et inesthétique qui en entraîne d'autres.

• Ne buvez pas d'alcool en dehors des repas. Il est inutile de s'étendre sur les effets néfastes de cette habitude, voire de ce vice. Tout a été dit. Retenir le haut pouvoir calorique de l'alcool. Il s'agit, contrairement à un vieux préjugé, de calories illusoires, d'une énergie vite dissipée, suivie d'effondrement, d'une véritable asthénie qui appelle une nouvelle consommation d'alcool et induit l'alcoolisme.

• Au cours des repas, un verre de vin, de cidre ou de bière n'est pas défendu à l'obèse. De toute manière, il faut boire peu en mangeant et consommer l'indispensable ration d'eau, au cours de la journée, ainsi que je l'ai déjà montré.

MÉTHODE LENTE OU MÉTHODE RAPIDE

Je suis partisan de la méthode lente, mais il existe aussi une méthode rapide basses calories. Elle consiste à passer brutalement du régime lipogène à une diète protidique.

Je dis tout de suite que cette méthode ne peut être entreprise que dans un milieu hospitalier.

La diète protidique est constituée en effet par des protéines pures de 60 à 70 g et de toute manière par une quantité non inférieure à 55 g. Diète sans sel de table pour éviter la sensation de faim douloureuse. Des vitamines et des sels minéraux sont ajoutés aux protéines. Boisson : deux litres d'eau potable.

En trois semaines, la diminution pondérale est de l'ordre de 4 kg 500. Si le ou la patiente fait une gymnastique quotidienne l'amaigrissement sera de cinq kilos de graisse.

La ligne descendante vers le poids souhaitable est donc

bien amorcée. Il s'agit de ne pas revenir aux errements de naguère, c'est-à-dire aux 3.000 ou 3.500 calories par jour. Sinon en trois semaines, la ligne du graphique remonterait vers le sommet. Tout serait à refaire. C'est à mes yeux un des écueils de cette méthode rapide.

Après la diète protidique de l'ordre de 200 à 300 calories, il faut, une fois à la maison, passer à 800 calories pas davantage. Aliments consommés sans ajouter de sel. Celui contenu dans les aliments permet de reprendre l'indispensable quantité d'eau tissulaire perdue au cours de la diète protidique à l'hôpital. En général, cette perte d'eau atteint 2 kilos. Donc l'intéressé (e) va reprendre 2 kilos. Sans doute, mais les 800 calories ingérées, chiffre insuffisant à assurer une épargne lipogène, entraîneront au contraire une perte évaluée à 60 g de lipides par jour, soit en un mois environ 2 kilos. Le poids sera donc stabilisé en dépit de la récupération nécessaire de l'eau.

On passe ensuite à 1.200 calories, puis trois semaines après à 1.500. Le graphique de son poids permet de corriger ce chiffre, en moins, si l'on dépasse le poids souhaitable ; en plus dans le cas contraire.

Bien évidemment, les règles énoncées ci-dessus doivent être appliquées à cette méthode qui est l'inverse de celle que je préconise.

En raison de la nécessité de démarrer la cure en hôpital ou en clinique spécialisée, l'application de la méthode reste donc limitée.

LE JEUNE

Jusqu'ici peu de médecins s'intéressaient au jeûne en tant que thérapeutique, du moins en France. Il n'en est pas de même dans d'autre pays et notamment en Allemagne. Il m'a été donné de suivre les travaux des professeurs de l'Université de Hambourg-Eppendorf. Des travaux particulièrement concluants qui ont permis d'établir d'une manière rigoureuse que l'abstinence alimentaire totale, pendant une durée de dix à vingt jours, sans immobilisation au lit, n'entraîne pas de troubles mettant en danger la vie du sujet.

Cent cinquante-huit volontaires dont l'âge variait de 24 à 70 ans furent soumis à ces expériences. Au jeûne absolu, rigoureusement surveillé, s'ajoutaient des exercices physiques, des séances de sauna et de massages. Ces volontaires pouvaient absorber des boissons ne fournissant aucune calorie. Les exercices physiques quotidiens consistaient en promenade, gymnastique et natation.

Le contrôle quotidien du poids a fait apparaître au bout de trois jours des pertes atteignant chez certains sujets 3,500 kg.

Une fois par semaine un bain intestinal apportant 200 calories fut administré aux jeûneurs. Ce bain contenait des jus de légumes et de fruits et une cuillerée à soupe de lactose.

Cette cure entraîne une diminution du volume sanguin variant d'un dixième à la moitié chez quelques sujets par élimination importante de l'eau au cours du premier jour, élimination entraînant l'épaississement du sang. En même temps, la nouvelle formation du sang est suractivée.

En fait cette expérience qui paraît nouvelle pour la médecine officielle a mis en évidence d'une manière extrêmement nette et irréfutable, l'absence de danger d'un jeûne prolongé à condition de contrôler médicalement la cure. Aucune modification physiologique alarmante n'est intervenue au cours de cette expérience assez dure. Pour les cliniciens allemands, ce résultat favorable découle de la combinaison jeûne-exercices physiques.

*
* *

Ce jeûne découvert par les médecins d'outre-Rhin n'est certes pas une nouveauté. Eric Nigelle, à côté de tant d'autres, a traité de cette question dans son livre *Modèle-toi par le jeûne, le yoga, la diététique.*

La cure de jeûne est une des armes de l'hygiénisme intégral. C'est véritablement le type de la cure totale corps-âme. L'abstinence complète ne peut pas ne pas avoir de résonance au niveau psychique, même si au départ le but est strictement thérapeutique. Cela ne saurait surprendre ceux qui savent que l'organisme est le fait de l'âme corporalisée. Il n'y a pas l'esprit et la chair séparés mais une unité psycho-biologique. Il est donc logique que la purification de l'aspect visible de l'être favorise la purification de la réalité invisible qui lui est solidaire, comme l'envers l'est de l'endroit, l'épaisseur ou la profondeur de la surface.

Cela dit, la cure de jeûne telle que je l'ai vue pratiquer en Allemagne à Badenweiller en Forêt-Noire comprend deux parties : la première de désintoxication ; la seconde de reconstruction.

Le curiste est soumis à une diète de fruits pendant deux jours, c'est-à-dire que les trois repas sont composés de fruits de saison suivant ses goûts et surtout sa tolérance. Cette diète est à deux fins : assainissement de l'intestin et adaptation à l'abstinence.

L'assainissement de l'intestin est accru par la prise d'un laxatif doux : une solution tiède de sulfate de soude ou sel de Glauber, 10 g dans un demi-verre d'eau genre Vichy ; cette solution peu agréable a cependant l'avantage d'éliminer plus complètement les déchets du côlon, de nettoyer la muqueuse sans provoquer de colique, de désencombrer le foie, d'amorcer la déshydratation.

Que cette précision de la technique inaugurale du jeûne n'incite pas les lecteurs à absorber régulièrement du sulfate de soude. Si des prises de loin en loin ont un effet laxatif certain, l'abus de ce sel induit la constipation chronique. Il est, d'autre part, contre-indiqué aux hypertendus.

Pour calmer la soif consécutive à la déshydratation, on absorbe une tisane de menthe toujours très appréciée.

Le jeûne commence après cette première phase. Sa durée est variable, de six à dix-huit jours et même davantage, selon le temps dont dispose le patient et la décision du médecin.

Après le réveil, entre 7 h 30 et 8 heures, une tisane au citron sans sucre est apportée au curiste dans sa chambre ; à midi, un bouillon de légumes est servi dans un salon où les jeûneurs peuvent ainsi se rencontrer ; à 2 h 30, une tisane de cynorrhodon avec une cuillerée à soupe de miel est servie dans la même pièce ; le soir, un jus de fruit dans un grand verre.

Tous les deux jours un lavement est administré, toujours dans le but de pousser à fond le nettoyage du gros intestin. Sur la feuille de cure, qui mentionne le traitement prescrit éventuellement, est régulièrement tracée la courbe descendante du poids. Ainsi l'infirmière applique les prescriptions et le médecin suit le jeûneur, en s'aidant en outre des analyses de laboratoire du sang et des urines.

Entre 9 et 10 heures a lieu un jour une séance de kneippisme, application d'eau froide, affusion demi-bain ou bain, le lendemain un massage. Je dois donner quelques précisions sur le massage qui, à Badenweiller, a une très grande importance. Connu sous le nom d'Atenmassage inventé par le docteur Schmitt, de Munich, il a une triple fonction : souplesse des tissus, élimination des déchets, respiration. Le massage du ventre et des pectoraux s'accompagne de mouvements d'inspiration et d'expiration amples et profonds, en même temps que les muscles sont relâchés. Cette décontraction bienfaisante, douce et rythmée est opérée sur les muscles du dos et de la nuque si souvent bloqués, et d'une façon générale sur tous les muscles.

Après la prise du bouillon de légumes de midi, la sieste-relaxation est obligatoire jusqu'à 2 h 30, heure de la tisane de cynorrhodon. Les curistes sont libres de se reposer ensuite à l'extérieur ou d'effectuer une promenade qui leur est vivement recommandée, sinon imposée, ou de se livrer au plaisir de la natation dans la piscine du sanatorium (c'est ainsi que sont désignés en Allemagne les stations médicales de cure quelles qu'elles soient).

Journée bien remplie, vouée à la désintoxication totale, à l'oxygénation, à la contemplation des sites, de la forêt et de la nature, à la méditation.

*
* *

La perte de poids oscille, selon le sujet ou plus exactement selon l'encombrement tissulaire et organique, le degré d'obésité, de 6 à 15 kg en dix ou quinze jours.

De toute évidence, cet amaigrissement résulte de l'abstinence de nourriture. Les réserves de glycogène du foie et surtout les réserves lipidiques sont utilisées en même temps que l'intelligence inconsciente de l'organisme, de la vie, institue une stricte économie dans les échanges ou métabolismes. Tous les surplus de protéines sont employés. Il s'ensuit un allègement du sujet, une élimination de tout ce que les émonctoires surchargés ne pouvaient évacuer ; déchets qui se déposaient dans les tissus, diminuant la perméabilité capillaire, épaississant la lymphe ou milieu intérieur, gênant l'irrigation sanguine des tissus, et créant l'état d'auto-intoxication.

Désencrassement général et hautement bienfaisant de l'organisme.
Après les petites difficultés du début de la cure, et parfois des malaises et maux de tête, le jeûneur éprouve un profond bien-être. Il est rendu en quelque sorte à lui-même. Le regard et le teint s'éclaircissent, l'activité cérébrale, intellectuelle est plus facile, plus brillante.

*
* *

La deuxième partie de la cure est marquée par la reprise de l'alimentation. Pendant les quatre premiers jours de cette reprise, le curiste reçoit une alimentation parfaitement dosée en qualité et en poids. Il s'agit de réhabituer l'appareil digestif à sa fonction.

On commence par une pomme donnée à midi et une autre à 14 heures. Puis est servi en guise de dîner un potage aux légumes frais.

Au cours des quatre jours suivants, on a en plus des crudités, des légumes cuits, puis des laitages, fromage blanc, petits suisses ou gervais, yaourts. Le cinquième jour, l'alimentation lacto-végétarienne devient plus copieuse, inspirée des principes de Bircher-Benner. Fruits et crudités sont toujours servis au début du repas.

La période dite de reconstruction est marquée comme la première, par le repos, les massages, les applications d'eau, les promenades et exercices ; elle dure dix à quinze jours.

*
* *

La cure s'achève dans la joie. Une régénération effective s'est produite. Il ne tient qu'au sujet de la prolonger en évitant de revenir aux errements de jadis et naguère, et en rectifiant sa manière de vivre, compte tenu des principes de l'hygiénisme intégral, qui, ne l'oublions jamais, intéresse le corps et l'esprit.

La cure est bénéfique aux obèses, aux personnes guettées par la sclérose, aux goutteux, aux rhumatisants, aux hypertendus, aux variqueux, aux asthéniques et surmenés, aux dyspeptiques.

*
* *

En France le docteur Yves Vivini est un des rares médecins à s'être intéressés à cette thérapeutique et l'expérience lui a prouvé que « le jeûne est indiqué dans toutes les formes d'obésité quelle qu'en soit l'étiologie apparente (1). »

En général les médecins français sont peu favorables au jeûne. D'aucuns lui opposent que la perte pondérable ne porte pas seulement sur la graisse, mais sur la masse cellulaire ou tissus protéiques ; en d'autres termes les muscles.

En admettant le bien-fondé de cette observation, il ne s'agit pas là d'une perte de substance définitive. La reprise progressive de l'alimentation qui implique une ration de protéines bien équilibrée permettra de combler rapidement ce déficit. Et puis, ne perdons pas de vue que les obèses ne sont pas des dénutris mais tout le contraire. Par conséquent s'ils pâtissent d'une surcharge graisseuse, celle-ci s'accompagne rarement d'un bilan négatif des tissus nobles.

Donc le jeûne ne saurait être contre-indiqué à l'obèse, sauf en cas de maladie de cœur par exemple. D'autre part, la cure peut être modulée, de telle sorte que la masse musculaire ne subisse jamais de pertes importantes. Ces précautions impliquent, bien évidemment, que le jeûne soit contrôlé par un médecin, de préférence en milieu hospitalier, ce qui, là encore, en limite l'emploi.

---

(1) Dr. Yves Vivini. Le Jeûne et les traitements naturels.

L'ALIMENTATION ÉQUILIBRÉE DE L'OBÈSE

Nous avons vu que la base de l'alimentation est constituée par les protéines, les lipides et les glucides.

● Les protéines ou aliments azotés, sont contenues dans les viandes, le poisson, les œufs, lait et fromages qui fournissent tous les acides aminés ; dans les céréales et légumineuses qui ne les contiennent pas tous.
Il faut recevoir en moyenne 1 g de protéines par kilo de poids souhaitable.

● Les lipides sont indispensables à l'organisme pour leur apport d'acides gras essentiels ou insaturés. Cette question mérite que l'on y insiste parce que les personnes soumises à un régime amaigrissant ont tendance à supprimer tous les corps gras. J'attire donc l'attention de mes lecteurs sur le chapitre réservé à cette importante question en fin d'ouvrage, et qui porte sur les remarques générales relatives à la méthode.
L'utilisation rationnelle des huiles polyinsaturées est capitale pour la santé.
Considérés à juste titre comme des facteurs vitaux, les acides gras essentiels qu'elles renferment, ont été assimilés par différents auteurs à une vitamine : la vitamine F.
Ces huiles doivent être consommées crues et jamais cuites. Pourquoi ? Parce qu'elles renferment plus de 2 % d'acide linolénique, acide qui ne doit pas être confondu avec l'acide linoléique.
Les huiles à cuire doivent renfermer moins de 2 % d'acide linolénique ; c'est le cas de l'huile d'arachide et de

l'huile d'olive qui, elles, peuvent être utilisées pour la cuisson.

*
* *

Le beurre non plus ne doit pas être rayé des menus. Le beurre cru s'entend. Le régime hypocalorique doit en prévoir une moyenne de 10 g par jour soit 10 x 7,6 = 76 calories.

Le beurre est une graisse naturelle qui contient des acides gras essentiels et notamment de l'acide linoléique et de l'acide arachidonique, et apporte un supplément de vitamines A, D et E.

*
* *

Donc 13 g 5 d'huile polyinsaturée (une cuillerée à soupe), et 10 g de beurre, soit 121,5 + 76 = 197,5 calories à comptabiliser.

Bannir les graisses animales et la margarine.

*
* *

● Quelques observations sur les glucides auxquels il faut faire la chasse sans toutefois les supprimer. La ration moyenne est de l'ordre de 6 à 7 g par kilo de poids souhaitable par jour. Elle peut être réduite sans inconvénient pendant la cure.

Eliminer radicalement, je le répète, bonbons, sucreries, pâtisseries et n'user de sucre blanc (saccharose) qu'à l'état de condiment.

Les féculents doivent être écartés. Il faut réduire le pain, les pâtes, les pommes de terre.

COMMENT COMPOSER SES MENUS

La composition des menus de l'obèse se heurte aux routines, aux préjugés, aux modèles familiaux et ancestraux que l'on traîne avec soi comme un boulet. L'inertie et la gourmandise font le reste.

Il n'est pas difficile d'établir un régime hypocalorique. La difficulté est de rompre avec des habitudes et des attitudes où l'inconscient joue un rôle important. Mais il n'est pas possible de faire autrement. Qui veut la fin veut les moyens. Et les moyens ce sont les basses calories et la persévérance, dans le cadre de la diététique complète, ce qui revient à dire que pas un nutriment, pas une vitamine, pas un sel minéral ni oligo-élément, ni l'eau, ni la cellulose ne doivent manquer durablement.

Les instruments pour la composition des menus de l'obèse, ce sont le tableau des valeurs caloriques, la balance de ménage et la bascule précise.

*
* *

Voilà donc les moyens, mais pour bien les utiliser, notamment le tableau, il est utile d'avoir de bonnes notions des principes fondamentaux de l'alimentation rationnelle et équilibrée. Je les ai esquissés, mais je ne peux entrer dans les détails et me permets de renvoyer mes lecteurs à des manuels spécialisés ou à mon livre : *L'Alimentation équilibrée à la portée de tous.*

Une fois cette connaissance acquise, il s'agit de déterminer ses besoins caloriques. Je vais donner des exemples de menus à 800, 1.000, 1.250, 1.500 et 1.800 calories. Il s'agit là de différents paliers pour commencer une cure. Il faudra, entre ces paliers, se situer en fonction de sa taille, de son squelette, de son sexe et de son activité.

La lutte contre l'obésité ne doit pas avoir pour objectif la ligne mannequin à tout prix et au prix redoutable du régime de famine.

Seules les graisses indésirables doivent être éliminées. Cela signifie que la masse musculaire ne doit pas être entamée, que le pannicule adipeux doit subsister, réduit à sa nécessité physiologique. Ce résultat est obtenu si l'on s'en tient aux poids souhaitables indiqués dans les tableaux pages 44 et 144. Poids qui tiennent compte de la taille, du squelette, de l'âge et du sexe.

PERTE DE POIDS ET CALORIES

Vous maigrirez donc selon la quantité de calories à laquelle vous vous serez arrêté, compte tenu des observations qui précèdent. En principe, vous devriez atteindre les résultats suivants :

à 2.000 calories vous maigrirez de 500 g par mois
à 1.800 calories vous maigrirez de 600 g par mois
à 1.500 calories vous maigrirez de 1 kg par mois
à 1.250 calories vous maigrirez de 3 kg par mois
à 1.000 calories vous maigrirez de 4 kg par mois

Les pertes de poids mentionnées ci-dessus ne sont bien entendu que des moyennes. Certaines personnes maigrissent davantage, d'autres moins avec des rations identiques représentant un nombre égal de calories. C'est toujours le problème de la susceptibilité personnelle.

Je souligne une fois de plus qu'il est préférable d'opter pour un amaigrissement lent permettant un régime compatible avec ses activités, et n'entraînant pas une rupture trop brutale avec ses habitudes alimentaires. Mais il ne faut pas se faire d'illusion, la surcharge pondérale ne peut être réduite qu'au prix d'un effort. Se rapprocher du poids souhaitable, puis ensuite s'y maintenir, ne saurait être obtenu dans la facilité. Au surplus, il faut s'y accrocher toute la vie, sinon les mêmes causes reproduiront les mêmes effets, et ce sera à nouveau l'obésité sans limites.

Un inconvénient : les repas pris hors de chez soi. S'ils se reproduisent souvent, vous devez essayer de manger à la carte afin de choisir des aliments basses calories.

Si vous prenez votre repas de midi dans un restaurant d'entreprise ou une cantine, il faut tâcher d'estimer la valeur calorique du menu afin d'en tenir compte dans l'évaluation globale avec les autres repas.

BESOINS CALORIQUES

Les besoins caloriques ne sont pas les mêmes pour tous. Cette proposition a l'air d'une vérité première mais le comportement du plus grand nombre donne à penser qu'elle est ignorée. Ces besoins varient selon l'âge, la morphologie ou l'état du squelette, le sexe et l'activité.

Nous avons donc repris les tableaux de l'évolution souhaitable du poids de l'homme et de la femme afin de déterminer les besoins caloriques correspondant à cette évolution.

L'examen de ces tableaux vous permettra de bien vous situer et de suivre votre régime amaigrissant ou simplement de santé par rapport à ce que vous êtes, et non pas en référence avec un type d'homme ou de femme abstrait ou proposé par une mode plus ou moins passagère, et qui a peu à voir avec l'hygiénisme intégral, auquel vous devez tendre et vous conformer.

Les besoins caloriques indiqués sont des besoins moyens. Ils sont tout naturellement plus élevés dans le jeune âge que dans l'âge mûr et a fortiori au troisième âge où les métabolismes sont plus lents, où l'activité se ralentit. Deux faits qui appellent la diminution obligatoire des rations, si l'on veut éviter des accidents graves et irréversibles de santé. Ne l'oublions jamais.

BESOINS CALORIQUES
ET ÉVOLUTION PONDÉRALE CHEZ L'HOMME

Age →		15 à 19		20 à 29		30 à 39		40 à 54		55 à X	
Taille		kg	cal.	kg	cal.	kg	cal.	kg	cal.	kg	cal.
1,55	sl	51	2200	53	2100	54	2000	55	1900	56	1800
	sm	52	2300	54	2200	55	2100	56	2000	58	1900
	sf	53	2400	55	2300	56	2200	57	2100	61	2000
1,60	sl	53	2400	55	2300	58	2200	60	2100	61	2000
	sm	54	2500	56	2400	59	2300	61	2200	62	2100
	sf	56	2600	58	2500	61	2400	64	2300	65	2200
1,65	sl	56	2500	59	2400	61	2300	63	2200	65	2100
	sm	58	2600	60	2500	62	2400	65	2300	67	2200
	sf	60	2700	62	2600	64	2500	67	2400	69	2300
1,70	sl	60	2700	63	2600	65	2500	67	2400	69	2300
	sm	62	2800	65	2700	67	2600	69	2500	71	2400
	sf	64	2900	67	2800	69	2700	71	2600	73	2500
1,75	sl	63	2800	66	2700	69	2600	71	2500	73	2400
	sm	65	2900	68	2800	70	2700	73	2600	75	2500
	sf	66	3000	70	2900	72	2800	76	2700	77	2600
1,80	sl	68	2900	70	2800	73	2700	75	2600	78	2500
	sm	70	3000	72	2900	75	2800	78	2700	80	2600
	sf	72	3100	74	3000	77	2900	80	2800	82	2700
1,85	sl	70	3000	73	2900	76	2800	79	2700	82	2600
	sm	72	3100	75	3000	78	2900	81	2800	85	2700
	sf	74	3200	78	3100	80	3000	83	2900	87	2800
1,90	sl	75	3100	80	3000	84	2900	86	2800	89	2700
	sm	78	3200	82	3100	86	3000	88	2900	91	2800
	sf	81	3300	85	3200	89	3100	90	3000	94	2900

BESOINS CALORIQUES
ET ÉVOLUTION PONDÉRALE CHEZ LA FEMME

Age —>		15 à 19		20 à 29		30 à 39		40 à 54		55 à X	
Taille		kg	cal.	kg	cal.	kg	cal.	kg	cal.	kg	cal.
1,50 { sl		45	1850	47	1750	49	1700	52	1650	54	1600
sm		47	1950	49	1850	51	1850	54	1750	56	1700
sf		49	2050	51	1950	53	1950	56	1850	58	1800
1,55 { sl		48	1950	50	1850	52	1800	54	1750	55	1700
sm		50	2050	52	1950	54	1900	56	1850	57	1800
sf		52	2150	54	2050	56	2000	58	1950	60	1900
1,60 { sl		52	2050	54	1950	56	1900	58	1850	60	1800
sm		54	2150	56	2050	58	2000	60	1950	62	1900
sf		56	2250	58	2150	60	2100	62	2050	64	2000
1,65 { sl		55	2150	57	2050	59	2000	61	1950	63	1900
sm		57	2250	59	2150	61	2100	63	2050	65	2000
sf		59	2350	61	2250	63	2200	65	2150	67	2100
1,70 { sl		58	2250	60	2150	62	2100	65	2050	67	2000
sm		60	2350	62	2250	64	2200	67	2150	69	2100
sf		61	2450	64	2350	66	2300	69	2250	71	2200
1,75 { sl		62	2350	64	2250	66	2200	69	2150	72	2100
sm		64	2450	66	2350	69	2300	72	2250	74	2200
sf		66	2550	68	2450	71	2400	74	2350	76	2300
1,80 { sl		67	2450	69	2350	71	2300	74	2250	76	2200
sm		69	2550	71	2450	73	2400	76	2350	78	2300
sf		71	2650	73	2550	75	2500	78	2450	80	2400

sl = squelette léger — sm = squelette moyen — sf = squelette fort

ACTIVITÉ ET DÉPENSES CALORIQUES

En consultant les tableaux du chapitre précédent, nous connaissons nos besoins caloriques suivant notre taille et notre âge, autrement dit notre évolution pondérale.

Il aurait fallu indiquer les besoins pour les tailles intermédiaires, centimètre par centimètre. Mais les tableaux auraient été démesurément allongés. Or il est facile de les évaluer. Il suffit de faire une simple règle de trois et l'on obtient un chiffre voisin de la réalité.

Il reste maintenant un autre point dont il faut tenir compte, les dépenses appréciées en calories suivant l'activité déployée. On conçoit qu'elles sont différentes suivant que l'on exécute un travail sédentaire sans effort musculaire ou une ascension en montagne. Cette connaissance de la valeur calorique de la dépense met en évidence le fait qu'il ne faut pas manger autant pour faire des travaux d'écriture ou rester derrière un comptoir que pour tailler des pierres. Hélas, c'est ce que font de nombreux contemporains : la quantité de nourritures ingérées leur permettrait d'exercer leur musculature au fond d'une mine sur le front de taille, alors que leur activité n'entraîne qu'une dépense variant entre 7 et 20 calories par heure.

DÉPENSES CALORIQUES A L'HEURE, SUIVANT L'ACTIVITE

Ascension en montagne	650	calories
Athlétisme, fond, demi-fond	950	»
Athlétisme, sprint et concours	300	»
Basket	300	»
Canotage	300	»
Chant	25	»
Cordonnerie	80	»
Couture à la main	20	»
Couture machine à pédale	60	»
Couture machine électrique	10	»
Cyclisme (coureur en cours d'effort)	700	»
Cyclisme-promenade	130	»
Cyclisme allure soutenue	350	»
Dactylographie machine sans moteur	40	»
Dactylographie machine électrique	20	»
Employé de bureau	15	»
Escrime	500	»
Etudiant	10	»
Football	480	»
Gardien de la paix en ville (à pied)	100	»
Gardien de la paix circulation	150	»
Intellectuel	10	»
Jardinage amateur	150	»
Jardinage professionnel	200	»
Lessive à la machine	150	»
Lessive lavage à la main	320	»
Maçon	200	»
Marche promenade	120	»
Marche allure soutenue	250	»
Marche sportive	600	»
Menuisier	150	»
Mécanicien	200	»
Ménage courant	120	»
Ménage, parquets, grand nettoyage	200	»
Musicien instruments à vent	100	»

Musicien piano	70	calories
Musicien violon	40	»
Musicien violoncelle	50	»
Natation sportive	420	»
Patinage sportif	400	»
Peintre en bâtiment	150	»
Serrurier	200	»
Ski de descente, compétition	600	»
Ski de descente, amateur	150	»
Ski de fond compétition	700	»
Ski de fond amateur	180	»
Tennis compétition	700	»
Tennis amateur	200	»
Vendeur	40	»

OBSERVATIONS

Il s'agit là de moyennes qui peuvent varier d'un sujet à l'autre. Selon l'activité exercée, surtout lorsqu'il s'agit d'un travail ou d'un effort peu habituel, il sera aisé en consultant ce tableau d'apprécier les limites du supplément de nourriture à recevoir.

Les lecteurs qui décideront de s'adonner à un sport régulièrement ne devront pas augmenter exagérément leurs rations. N'oubliez jamais que la grande règle du maintien au plus près du poids souhaitable réside dans l'alimentation complète et pesée et la surveillance régulière de son poids à une bascule précise. Quel que soit l'effort fourni si le graphique du poids prend une ligne ascendante, il faut diminuer le nombre de calories.

D'autre part, si je décide de faire du cyclisme, je ne devrai pas systématiquement augmenter mes rations du moins pas dans les proportions résultant du tableau. Par exemple trois heures d'entraînement à allure soutenue ne devront pas se traduire par 350 x 3 = 1.050 calories supplémentaires. Je fais mienne, à cet égard, la position des docteurs Creff et Bérard :

« La plupart des auteurs préconisent pour la période d'entraînement, l'enrichissement de la ration soit en glucides ou en lipides, soit en protides de bonne qualité. Pour notre part, nous pensons que, même pendant cette période, si on doit augmenter la ration, il ne faut pas chercher à l'augmenter de façon qualitative, en apportant un supplément de certaines catégories d'aliments.

« Nous sommes convaincus que, pendant l'entraînement, la ration doit rester aussi équilibrée qu'en période de repos, et qu'elle ne peut être majorée que quantitativement.

« En effet, à cette période, tous les métabolismes, qu'ils soient glucidiques, protidiques, lipidiques, vitaminiques ou minéraux, sont sollicités et demandent pour rester efficients, un apport accru, certes, mais équilibré, de tous les matériaux alimentaires.

« Dans ces conditions, s'il existe un amaigrissement pendant cette période de mise en train, qui est le début de la période d'entraînement, celui-ci ne peut être que transitoire et lié seulement à une perte de graisses de réserve. Si l'amaigrissement est trop accentué ou trop prolongé, c'est dans le déséquilibre des différents constituants de la ration qu'il faut en chercher la cause, beaucoup plus que dans un surcroît de travail musculaire. D'ailleurs, franchie cette phase passagère de perte de poids, très vite l'équilibre pondéral se rétablit, lié à l'augmentation de la masse musculaire résultant de l'entraînement.

« D'autre part, à mesure que cet entraînement devient efficace, la dépense énergétique diminue, parce que l'effort musculaire devient plus nuancé. De sorte que le poids peut rester stable alors même que l'apport alimentaire est moins important mais toujours équilibré (1). »

Non, la dépense musculaire ne doit pas donner lieu, sous prétexte de la compenser, à un gavage. En effet, l'organisme s'adapte à toutes les situations et donc à l'effort. Faute d'en tenir compte et malgré la perte de calories, le sujet grossit et s'achemine vers l'obésité. Aussi bien faut-il toujours et en

---

(1) A.F. Creff et L. Bérard. *Sport et Alimentation*. La Table Ronde.

toute circonstance bien ajuster les entrées, en veillant à la règle de la diététique complète, la bascule restant le témoin du déficit pondéral ou de l'excès.

Cela dit, si vous n'avez jamais pratiqué de sport ou si vous n'en pratiquez plus depuis plusieurs années, gardez-vous de faire des efforts prolongés du jour au lendemain. Vous risqueriez un accident grave.

RÉGIME EN ZIG-ZAG

Parmi les différents régimes préconisés dans la lutte contre l'obésité, il en est qui obtiennent chez de nombreux sujets des résultats satisfaisants et durables, ce sont ceux dits en zig-zag. Ils sont utilisés en France par Azerad, mais ne manquons pas de rendre à son inventeur ce qui lui appartient, ils dérivent tous du régime dissocié d'Albert Antoine.

Ce régime consiste à consommer pendant six jours de la semaine une seule catégorie d'aliments selon le schéma ci-après :

- lundi   :   légumes
- mardi   :   viandes
- mercredi   :   œufs
- jeudi   :   lait
- vendredi   :   poisson
- samedi   :   fruits
- dimanche   :   libre

Des obèses qui ont suivi scrupuleusement ce régime sont parvenus à perdre 300 à 350 g par jour au début de la cure.

Le dimanche, jour libre, permet, si l'on a soin de veiller à l'apport de protéines, de combler le déficit que les journées des lundi, jeudi et samedi ont pu introduire.

Ce régime dissocié est suivi pendant huit semaines, puis l'on s'arrête trois mois.

Les médecins qui s'inspirent du régime d'Albert Antoine, autorisent, au petit déjeuner, une tasse de thé ou de café, 20 g de biscottes ou 30 g de pain et un sucre ou l'équivalent en miel.

● Au cours de la diète de légumes, le lundi, une partie des légumes du déjeuner peut être consommée en soupe ou potage préparé avec très peu d'huile.

Au dîner un petit morceau de fromage est permis.

● La viande du mardi doit bien entendu être choisie dans la qualité maigre, c'est-à-dire renfermant le minimum de graisse invisible, et, bien entendu, débarrassée de la graisse visible.

On choisira donc de préférence du bœuf, du jambon maigre, du poulet à alterner au cours des trois repas.

De la salade est autorisée. Il est préférable, à mon avis, de la consommer au début. On peut terminer le déjeuner et le dîner par un fruit.

● La diète d'œufs, le mercredi, consiste à absorber cinq œufs : un au petit déjeuner, deux au déjeuner, deux au dîner.

Supprimer le pain au petit déjeuner. Les œufs du déjeuner sont encadrés par un potage et un ou deux fruits et 20 g de pain. Ceux du dîner par une salade, un fruit, 20 g de pain.

Les œufs sont accommodés selon le goût mais avec très peu d'huile ou de beurre.

● La diète de lait, le jeudi, cinq tasses, s'accompagne à midi et le soir de deux pommes de terre et d'une petite portion de fromage blanc ou petits suisses. Terminer par un yaourt avant de se coucher.

● La diète de poisson, le vendredi, inclut des poissons maigres, cuits au court-bouillon, un peu de crustacés, une salade à midi et un fruit ; un fruit également au dîner.

● La diète de fruits, le samedi, ne doit pas porter sur des fruits trop riches et, de toute manière, exclure les fruits oléagineux, avocat, amande, noix, noisette, et banane. A midi un peu de fromage et 20 g de pain sont autorisés.

● Le dimanche est le jour de liesse de ce régime dissocié. On peut manger ce dont on a envie. Ce n'est pas une raison pour exagérer, sinon le bénéfice des six jours risque d'être entièrement perdu (1).

_____

(1) Pour plus de détails se rapporter au livre d'Albert Antoine, *L'Art de maigrir par l'alimentation dissociée*. Ed. Pierre Horay.

MA MÉTHODE D'ALIMENTATION

Ma méthode d'alimentation résulte des études résumées dans les chapitres précédents. Les principes fondamentaux sont les suivants :

● Diététique complète et équilibrée. Pas un nutriment ne doit manquer. Nous savons maintenant ce que cela veut dire.

● Réduction des corps gras ou lipides et des glucides ou hydro-carbonés.

● Boire très peu au cours des repas mais se garder de supprimer sa ration d'eau. Relire ce qui a été écrit à ce sujet.

● Saler modérément, mais, sauf prescription médicale, ne pas suivre de régime désodé. Le chlorure de sodium est indispensable à l'équilibre physiologique des liquides intra et extra-cellulaires.

● Pour maigrir ne comptez pas sur les bains de vapeur, les massages et autres procédés. Ils peuvent être utiles, mais ne seront jamais que des auxiliaires. Le moyen principal, sinon unique, réside dans l'ajustement des entrées aux dépenses, donc dans la réduction de la valeur calorique globale de votre alimentation.

● Les médicaments à haut pouvoir pharmacodynamique, autrement dit les remèdes de la médecine allopathique ne doivent en aucun cas être absorbés en dehors de la surveillance du médecin, et seulement aux doses et pour le temps prescrits. J'ai attiré votre attention sur les dangers qu'ils présentent.

*
* *

Me fondant sur ces différents points, je vais indiquer des menus complets pour une semaine qui vous apporteront chaque jour, suivant la cadence d'amaigrissement que vous aurez choisie, 800, 1.000, 1.250, 1.500 ou 1.800 calories.

MENUS A 800 CALORIES

Lundi	Poids des aliments en g	Nombre de calories	Total calorique
Petit déjeuner			**203**
Jus d'orange	100	50	
Lait écrémé	100	45	
Café ou thé une tasse	—	—	
Pain de seigle	30	75	
Miel	10	33	
Matinée vers 10 h			**68**
Banane moyenne	70	68	
Déjeuner			**328**
Salade verte assaisonnée au citron	100	20	
et une cuillerée à café d'huile			
polyinsaturée	4,5	40	
Bifteck grillé	80	160	
Céleri-rave au bouillon maigre	210	76	
avec persil et fines herbes			
Pomme	50	32	
Après-midi vers 16 h 30			**30**
Poire ou pomme	50	30	
Dîner			**171**
Fromage blanc écrémé au persil			
(une cuillerée de persil haché, salé			
et poivré légèrement ou autres			
épices)	90	100	
Pamplemousse	80	35	
Confiture	14	36	
			800

Mardi	Poids des aliments en g	Nombre de calories	Total calorique
Petit déjeuner			**243**
Jus de pomme	50	40	
Lait écrémé	100	45	
Café ou thé une tasse	—	—	
Pain de seigle	50	125	
Miel	10	33	
Matinée vers 10 heures			**32**
Poire	50	32	
Déjeuner			**327**
Carottes râpées au citron	100	45	
Choucroute sans gras	200	56	
Œufs (2)	110	150	
(Choucroute et œufs peuvent être accommodés ensemble avec un peu de sauce tomate ou autre).			
Beurre	10	76	
Après-midi vers 16 h 30			**32**
Brugnon	50	32	
Dîner			**166**
Bouillon de laitue : une demi-laitue, 1 œuf et 1/4 de lait écrémé et poivre	500	100	
Cassis 50 g et une cuillerée à dessert de compote	60	66	
			800

Mercredi

	Poids des aliments en g	Nombre de calories	Total calorique
Petit déjeuner			**238**
Jus de raisin	50	40	
Lait écrémé	100	45	
Café ou thé une tasse	—	—	

	Poids des aliments en g	Nombre de calories	Total calorique
Pain complet	50	120	
Miel	10	33	
Matinée			**30**
Pomme	50	30	
Déjeuner			**326**
Salade au fromage blanc écrémé : 100 g de romaine, persil et ciboulette, une cuillerée à café de chaque, sel, à mélanger au fromage blanc, 30 g	135	50	
Sole, oignon et persil au four	110	87	
Beurre	10	76	
Haricots verts accommodés avec une tomate, ail et persil (les 10 g de beurre peuvent être utilisés pour ce plat)	200	45	
Banane moyenne	70	68	
Après-midi			**32**
Poire ou pomme	50	32	
Dîner			**174**
Asperge en sauce avec oignon et œuf	250	95	
Camembert	15	45	
Melon	100	34	
			800

Jeudi

	Poids des aliments en g	Nombre de calories	Total calorique
Petit déjeuner			**225**
Jus de pamplemousse, jus frais	100	42	
Lait écrémé	100	45	
Café ou thé une tasse	—	—	

	Poids des aliments en g	Nombre de calories	Total calorique
Flocons d'avoine (porridge)	20	79	
Sucre	15	59	
Matinée			**68**
Banane moyenne	70	68	
Déjeuner			**406**
Salade de fenouil : 1/4 de pied de fenouil, 50 g de mâche, 1/2 citron, 1/2 cuillerée à soupe d'huile d'olive	100	90	
Escalope de veau grillée	100	174	
Artichauts forestières : Faire blanchir et égoutter, séparer les feuilles des fonds, enlever les poils, racler les bractées (appelées improprement feuilles) et mettre la raclure dans un bol. Faire chauffer une cuillerée à café d'huile dans une casserole, et ajouter 40 g de champignons à faire dorer, puis saupoudrer de farine (1 cuillerée à café) et mouiller avec 1 cuillerée à soupe de lait ; ajouter la raclure d'artichaut et poivrer ; après avoir obtenu une pâte assez épaisse en garnir les fonds d'artichaut et faire gratiner (ajouter un peu de chapelure)	100	110	
Après-midi			**32**
Pomme	50	32	
Dîner			**101**
Fromage blanc entier	40	72	
Pruneaux	10	29	
			800

Vendredi	Poids des aliments en g	Nombre de calories	Total calo-rique
Petit déjeuner			**244**
Jus d'orange et de citron	100	50	
Lait écrémé	100	45	
Café ou thé une tasse	—	—	
Pain grillé	40	116	
Miel	10	33	
Matinée			**26**
Abricot frais	50	26	
Déjeuner			**471**
Salade de poireaux, citron et 10 g d'huile polyinsaturée (tournesol	100	135	
Truite aux amandes (10 g) (ne pas manger la peau de la truite)	100	160	
Chou (180 g) aux oignons cuits dans un peu d'eau salée, poivrée, une cuillerée à café d'huile d'olive ou d'arachide	250	125	
Pêche	100	51	
Après-midi			**32**
Poire	50	32	
Dîner			**27**
Tomate nature	50	11	
Melon	50	16	
			800
Samedi			
Petit déjeuner			**212**
Jus de tomate	100	25	
Lait écrémé	100	45	
Œuf à la coque	50	76	
Café ou thé une tasse	—	—	
Miel	20	66	

	Poids des aliments en g	Nombre de calories	Total calorique
Matinée			**62**
Dattes	20	62	
Déjeuner			**448**
Salade de radis, tomates, concombres, carottes, persil et citron, une demi-cuillerée à soupe d'huile d'olive, sel et poivre	200	80	
Soufflé aux asperges : 2 blancs d'œuf, 1/2 verre de lait écrémé, 10 g de beurre, 10 g de farine	100	100	
Pomme de terre en robe des champs et 10 g de beurre	100	162	
Fraises (100 g) au miel (20 g)	120	106	
Après-midi			**48**
Raisin	60	48	
Dîner			**30**
Yaourt	50	30	
			800

Dimanche

	Poids des aliments en g	Nombre de calories	Total calorique
Petit déjeuner			**245**
Jus de pamplemousse	100	42	
Lait écrémé	100	45	
Café ou thé une tasse	—	—	
Pain de seigle	50	125	
Miel	10	33	
Déjeuner			**490**
Crudités sauce vinaigrette	200	80	

	Poids des aliments en g	Nombre de calories	Total calo- rique
Bœuf 125 g aux laitues, avec carot- tes, oignons et 10 g d'huile ou beurre	250	360	
Prunes	75	50	
Dîner			65
Endives au citron	100	30	
Ananas frais	65	35	
			800

Boissons

De l'eau à volonté, soit zéro calorie.
Si l'on prend du vin, du cidre ou de la bière il faut tenir compte des calories libérées en consultant les tableaux.

OBSERVATIONS

Les journées à 800 calories réduisent à leur plus simple expression les lipides et les glucides. Il est difficile d'équilibrer diététiquement les rations. J'ai néanmoins tenu à donner des exemples de menus qui évitent les carences en protéines, en sels minéraux, en vitamines et oligo-éléments.

De toute manière, et sous réserve de ne pas tricher, autrement dit de ne pas introduire de calories occultes, cette réduction draconienne des rations permet un démarrage sérieux de la cure d'amaigrissement, marquée par une perte de poids importante et relativement rapide. C'est à la belle saison qu'il faut tenter cette cure (sauf contre-indication) puisque l'on n'a pas besoin de lutter contre le froid.

Impossible de ne pas réduire le dîner à moins de 200 calories et certains soirs à moins de 50. Qui dort dîne... et maigrit ! En revanche, le petit déjeuner ne doit pas être escamoté, étant donné qu'il faut disposer d'une énergie minimale pour poursuivre son activité.

Pas de pain, sauf ce qui est indiqué au petit déjeuner.

Les aliments proposés ne le sont qu'à titre indicatif, pour montrer que l'on peut réduire sa ration à 800 calories. Mais il est évident que chacun doit composer ses menus à sa guise, en consultant nos tableaux des différentes valeurs caloriques, et en veillant à rester au plus près de l'alimentation équilibrée.

Dès que le résultat est obtenu, que la courbe est suffisamment descendante, et notamment si la perte de poids est trop rapide, passer à 1.000 calories et introduire des compléments vitaminiques tels que la levure alimentaire et le germe de blé par exemple.

MENUS A 1.000 CALORIES

Lundi

	Poids des aliments en g	Nombre de calories	Total calorique
Petit déjeuner			**262**
Jus de pomme	50	40	
Lait écrémé	100	45	
Café ou thé une tasse	—	—	
Pain complet	60	144	
Miel	10	33	
Matinée			**68**
Banane moyenne	70	68	
Déjeuner			**523**
Salade d'endives, pomme 25 g, 1 cuillerée à café d'huile d'olive, jus de citron	155	82	
Œufs aux épinards : 2 œufs, 250 g d'épinards, 100 g de lait, 10 g de beurre, 10 g de gruyère (épinards à cuire à l'étuvée)	470	401	
Fraises nature	100	40	
Après-midi			**25**
Orange	50	25	
Dîner			**122**
Fromage blanc	40	72	
Pruneaux	17	50	
			1.000

Mardi

	Poids des aliments en g	Nombre de calories	Total calorique
Petit déjeuner			**273**
Jus d'orange et de citron	100	50	
Lait écrémé	100	45	
Café ou thé une tasse	—	—	

	Poids des aliments en g	Nombre de calories	Total calorique
Pain grillé	50	145	
Miel	10	33	
Matinée vers 10 heures			**30**
Pomme	50	30	
Déjeuner			**474**
Concombre 100 g au yaourt un petit pot, 1 cuillerée à dessert de persil haché, un peu de moutarde	160	47	
Hachis aux champignons : 80 g de bœuf haché, 100 g de champignons, 4 à 6 tomates ou jus, sel et poivre	300	150	
Riz à la créole avec une dizaine de baies de genièvre	50	177	
Compote de poires-abricots : 1 grosse poire ou 2 petites et 25 g d'abricots secs, un peu de citron (pas de sucre)	55	100	
Après-midi			**48**
Raisin	60	48	
Dîner			**175**
Bouillon de laitue 100 g, 75 g de lait écrémé, 1 œuf	225	125	
Ananas frais	80	50	
			1.000

Mercredi

Petit déjeuner			**264**
Jus frais de pamplemousse	100	42	
Lait écrémé	100	45	
Café ou thé une tasse	—	—	

	Poids des aliments en g	Nombre de calories	Total calorique
Flocons d'avoine (porridge)	30	118	
Sucre	15	59	
Matinée			**63**
Dattes	20	63	
Déjeuner			**566**
Salade au jambon :			
céleri 50 g, tomates 125 g, radis 100 g, jambon maigre haché 50 g, une cuillerée à café d'huile d'olive	330	218	
Omelette à l'oignon :			
2 œufs, 50 g d'oignons hachés frais, 50 g de cerfeuil, 1 cuillerée à soupe de lait, un peu d'huile	220	214	
Haricots verts à la méridionale :			
200 g haricots, 2 tomates ou 1/2 petite boîte de conserve, ail, persil et ciboulette	300	100	
Melon	100	34	
Dîner			**107**
Yaourt	100	60	
Framboises	80	47	
			1.000
Jeudi			
Petit déjeuner			**232**
Jus de tomate et d'orange (moitié de chaque)	100	40	
Lait écrémé	100	45	
Café ou thé une tasse	—	—	
Biscottes	30	114	
Miel	10	33	
Matinée			**32**
Poire	50	32	

	Poids des aliments en g	Nombre de calories	Total calorique
Déjeuner			**533**
Salade mâche 50 g, céleri-rave 50 g, persil, 1 cuillerée à café de câpres et 1 cuillerée à café d'huile d'olive	110	85	
Bœuf maigre à l'étouffé : 135 g bœuf, 10 g de beurre, 1 tomate, 1 gousse d'ail, 1 petit bouquet garni, 8 cl de vin blanc, un peu de farine	180	340	
Endives braisées : 200 g préparées avec le jus du bœuf à l'étouffé	200	52	
Prunes	100	56	
Après-midi			**68**
1 banane moyenne	70	68	
Dîner			**135**
Potage de légumes	100	54	
Gruyère	20	81	
			1.000

Vendredi

	Poids des aliments en g	Nombre de calories	Total calorique
Petit déjeuner			**278**
Jus d'orange et citron	100	50	
Lait écrémé	100	45	
Café ou thé une tasse	—	—	
Pain de seigle	60	150	
Miel	10	33	
Matinée			**30**
Pomme	50	30	

	Poids des aliments en g	Nombre de calories	Total calorique
Déjeuner			**529**
Crudités au riz :			
carotte, concombre, tomate, poivron, chou, oignon 200 g, riz 20 g, cuit à la vapeur et servi froid avec sauce vinaigre, 1 cuillerée à café d'huile d'olive	230	190	
Cabillaud à l'œuf :			
150 g de cabillaud en 2 tranches, la moitié d'un œuf battu, mélangé à de la chapelure de pain pour dorer au four, persil et jus de citron	210	200	
Poireaux gratinés :			
100 g de poireaux, 1/2 verre de lait un peu de farine, chapelure de pain	130	62	
Cerises	100	77	
Dîner			**163**
Omelette : 1 œuf et 1/2, 1 cuillerée à soupe de lait écrémé	75	120	
Pamplemousse	100	43	
			1.000

Samedi

	Poids des aliments en g	Nombre de calories	Total calorique
Petit déjeuner			**262**
Jus de raisin	50	40	
Lait écrémé	100	45	
Café ou thé une tasse	—	—	
Pain complet	60	144	
Miel	10	33	
Matinée			**32**
Poire	50	32	

	Poids des aliments en g	Nombre de calories	Total calorique
Déjeuner			**552**
Salade basquaise : pommes de terre 100 g, romaine 50 g, 1 gousse d'ail, persil, jus de citron, 1 anchois, 1 cuillerée à café d'huile	160	188	
Poulet aux raisins secs : poulet 100 g, raisins 40 g, 1 tomate, 1 poivron, 1 échalotte, 2 oignons, 1 gousse d'ail, 5 cl de vin blanc sec, poivre, 10 g d'huile	200	300	
Poire	100	64	
Dîner			**154**
Soupe à l'ail	100	54	
Yaourt	100	60	
Fraises nature	100	40	
			1.000

Dimanche

	Poids des aliments en g	Nombre de calories	Total calorique
Petit déjeuner			**262**
Jus de pomme	50	40	
Lait écrémé	100	45	
Café ou thé, une tasse	—	—	
Pain complet	60	144	
Miel	10	33	
Déjeuner			**610**
Salade au fromage blanc : 100 g de laitue, 30 g de chou, 50 g de fromage blanc maigre, 25 g de jambon maigre, 1 cuillerée à soupe de lait	215	130	

	Poids des aliments en g	Nombre de calories	Total calorique
Agneau 100 g à l'orange (une) : 1 oignon, 1/4 de laitue, 1 cuillerée à soupe de farine de maïs, 50 cl de vin blanc	250	390	
Haricots verts : 95 g à passer dans le jus du plat d'agneau	95	38	
Abricots frais	100	52	
Dîner			**128**
Œuf à la tomate	70	95	
Yaourt	55	33	
			1.000

Boissons

Mêmes observations que pour les menus à 800 calories.

OBSERVATIONS

Les journées à 1.000 calories font à peine un peu plus de place aux lipides et aux glucides et là encore les rations ne sont pas diététiquement équilibrées. Comme il s'agit de réduire la masse de tissus adipeux, de prélever sur les réserves lipidiques excessives, la cure peut être poursuivie sans dommage, étant donné que les apports maxima de protéines, de sels minéraux et autres biocatalyseurs assurent la couverture des besoins.

Le pain ne peut encore être introduit qu'au petit déjeuner.

Nous en sommes toujours au « qui dort dîne » afin d'étoffer davantage le petit déjeuner et le repas de midi.

L'époque propice pour suivre la cure 1.000 calories est la belle saison, de la mi-avril à la mi-septembre. C'est l'époque où les salades, crudités, fruits abondent et ont une teneur maximale en vitamines.

Cette cure entraînera non seulement la fonte des adiposités, mais contribuera, s'il y a lieu, à rééquilibrer les graisses du sang, les lipides sanguins, à réduire l'hyperlipémie. Seule la réduction des sucres ou hydrates de carbone et des corps gras ou lipides le permet.

L'élimination de l'alcool, facteur aggravant, est salutaire. Il est à peine besoin de le souligner.

D'autre part, si vous avez soin de boire, entre les repas votre ration complète d'eau potable, vous favoriserez la dilution et la diffusion des substances assimilées et vous préviendrez la lithiase rénale.

MENUS A 1.250 CALORIES

Lundi	Poids des aliments en g	Nombre de calories	Total calorique
Petit déjeuner			**301**
Jus d'orange et de citron	100	50	
Lait écrémé	150	67	
Café ou thé une tasse	—	—	
Pain de seigle	30	75	
Miel	10	33	
Beurre	10	76	
Matinée			**68**
Banane moyenne	70	68	
Déjeuner			**571**
Salade de cresson 100 g, betterave 100 g, 1 pomme 50 g, 1 petit œuf dur, une cuillerée à café d'huile de tournesol, un jus de citron	300	197	
Escalope grillée	150	260	
Asperge sur canapé : 200 g d'asperges, 50 g de lait écrémé avec 1/4 d'œuf battu, 1/4 de cœur de laitue, jus de citron, sel, poivre, un peu de thym ; à servir sur une tranche fine de pain de mie grillé	300	84	
Pomme	50	30	
Après-midi			**63**
Dattes	20	63	
Dîner			**247**
Potage au céleri	100	54	
Gruyère	30	100	
Biscotte	10	38	
Ananas frais	100	55	
			1.250

Mardi	Poids des aliments en g	Nombre de calories	Total calorique
Petit déjeuner			**284**
Jus de pomme	50	40	
Lait écrémé	150	67	
Café ou thé une tasse	—	—	
Pain complet	60	144	
Miel	10	33	
Matinée			**32**
Poire	50	32	
Déjeuner			**620**
Salade de haricots verts 200 g, 1 oignon, 1 gousse d'ail, 1/2 œuf dur, une cuillerée à café d'huile d'olive, citron, 1 cornichon	250	160	
Omelette basquaise : 2 œufs, 1 tranche de jambon maigre, 1 tomate, 1 poivron, 1 oignon, 10 g de beurre, sel, poivre	160	270	
Petits pois 150 g à la tomate 50 g, 1 cœur de laitue, 2 petits oignons, sel, poivre, 1 cuillerée à café d'huile ou 10 g de beurre	260	150	
Fraises	100	40	
Après-midi			**68**
Banane moyenne	70	68	
Dîner			**246**
Fromage blanc entier	50	90	
Filet de sole grillé	100	75	
Pruneaux	28	81	
			1.250

Mercredi	Poids des aliments en g	Nombre de calories	Total calorique
Petit déjeuner			**361**
Jus de raisin	50	40	
Lait écrémé	150	67	
Café ou thé une tasse	—	—	
Pain grillé	50	145	
Miel	10	33	
Beurre	10	76	
Matinée			**32**
Pomme	50	32	
Déjeuner			**648**
Salade variée : tomate 100 g, romaine 100 g, 1 cuillerée à café d'huile d'olive, 50 g de jambon maigre, échalotte, persil, cerfeuil, estragon, moutarde, citron	270	170	
Foie de veau 150 g, échalotte, persil, 1 tomate, 10 cl de vin blanc	180	240	
Courgettes 200 g au gratin, 15 g de fromage râpé, 2 tomates, une pointe d'ail, 1 oignon	250	138	
Compote : poires 50 g, abricots 50 g (frais). Pas de sucre à la cuisson, ajouter 15 g de miel au moment de servir	115	100	
Après-midi			**30**
Poire	50	30	
Dîner			**179**
Potage de légumes : carottes, céleri, oignon, chou, chou-fleur, tomates	100	56	
Port-Salut	15	57	
Cake 1 tranche	20	66	
			1.250

Jeudi	Poids des aliments en g	Nombre de calories	Total calo- rique
Petit déjeuner			**284**
Jus de tomate et d'orange (moitié de chaque)	100	40	
Lait écrémé	150	67	
Café ou thé une tasse	—	—	
Flocons d'avoine (porridge)	30	118	
Sucre	15	59	
Matinée			**63**
Dattes	20	63	
Déjeuner			**727**
Salade niçoise :			
1 petit poivron, 50 g tomates, 10 g de chou-fleur, un peu de céleri, 50 g de romaine, 25 g de pommes de terre bouillies, 10 g d'olives noires, 1 anchois, 1 gousse d'ail, 1 petit oi- gnon, 1 cuillerée à dessert d'huile d'olive, vinaigre	170	140	
Chateaubriand à la bordelaise :			
1 tranche filet de bœuf 125 g, 1 échalotte, thym, muscade, 10 cl vin rouge, 15 g de beurre	155	385	
Bettes aux champignons au gratin :			
200 g de côtes de bettes, 80 g de champignons de Paris, 1 tomate, 10 cl de bouillon, chapelure, estragon, 5 g de beurre	300	170	
Pomme	50	32	
Après-midi			**30**
Poire	50	30	
Dîner			**146**
Fromage blanc entier	50	90	
Prunes	100	56	
			1.250

Vendredi	Poids des aliments en g	Nombre de calories	Total calorique
Petit déjeuner			**332**
Jus frais de pamplemousse	100	42	
Lait écrémé	150	67	
Café ou thé une tasse	—	—	
Biscottes	30	114	
Miel	10	33	
Beurre	10	76	
Matinée			**30**
Poire	50	30	
Déjeuner			**611**
Carottes râpées 100 g à l'orange 50 g, laitue 30 g, 1/2 oignon, 1 cuillerée à café d'huile de tournesol, vinaigre, sel	195	120	
Merlan au four : 1 merlan 150 g, 100 g de champignons hachés très fin, 20 g d'oignon, 50 g de pommes de terre en rondelles, échalottes, muscade, 1/2 verre de vin blanc	330	225	
chou-fleur 150 g à la crème : 60 g de lait écrémé, 1 jaune d'œuf, 1 cuillerée à café de farine, 10 g de beurre, persil, poivre, sel, chapelure	230	232	
Melon	100	34	
Après-midi			**68**
Banane moyenne	70	68	
Dîner			**209**
Soupe à l'oignon sans gras	100	54	
Camembert	30	93	
Dattes	20	62	
			1.250

Samedi	Poids des aliments en g	Nombre de calories	Total calorique
Petit déjeuner			**370**
Jus d'orange et de citron (moitié de chaque)	100	50	
Lait écrémé	150	67	
Café ou thé une tasse	—	—	
Pain complet	60	144	
Miel	10	33	
Beurre	10	76	
Matinée			**32**
Pomme	50	32	
Déjeuner			**609**
Laitue 100 g au pamplemousse (1), 30 g de yaourt, 1/2 citron, sel, poivre	240	85	
Œufs (2) à la tomate, 350 g, 1 poivron, 1 gousse d'ail, 1 cuillerée à café d'huile d'arachide	470	274	
Cœur d'artichaut 100 g en béchamel, 10 g de beurre, 8 g de farine, 1/2 verre de lait écrémé, 1 pincée de noix muscade, sel, poivre	180	195	
Ananas frais	100	55	
Après-midi			**30**
Poire	50	30	
Dîner			**209**
Jambon maigre et moutarde 35 g	35	87	
Radis nature	100	45	
Yaourt 70 g au miel 10 g	80	77	
			1.250

Dimanche	Poids des aliments en g	Nombre de calories	Total calorique
Petit déjeuner			**366**
Jus de pomme	50	40	
Lait écrémé	150	67	
Café ou thé une tasse	—	—	
Pain de seigle	60	150	
Miel	10	33	
Beurre	10	76	
Déjeuner			**680**
Salade parisienne : 60 g de carottes, 60 g de pommes de terre, 60 g de navets, 60 g de haricots verts à cuire à la vapeur, 25 g d'olives noires, 1/2 œuf dur, 1 cuillerée à café d'huile d'olive, vinaigre, citron, sel, poivre	290	278	
Poulet 250 g au chou, 150 g, 1/2 pomme, 10 g de farine, vinaigre, sel, poivre, paprika	420	312	
Soufflé de banane : 1 banane moyenne écrasée, 1 blanc d'œuf battu, au four chaud. Ajouter au moment de servir une cuillerée à café de miel	80	90	
Dîner			**204**
Omelette aux courgettes : 1 œuf, 1 courgette moyenne, 1 petite tomate, 1 petit oignon, 1 cuillerée à café d'huile d'arachide	95	123	
Yaourt, 80 g, miel 10 g	90	81	
			1.250

Boissons

Mêmes observations que pour les menus à 800 calories.

OBSERVATIONS

Avec 1.250 calories nous pouvons nous rapprocher davantage de l'alimentation équilibrée sans y parvenir complètement toutefois.

Si le petit déjeuner et le dîner peuvent être un peu plus étoffés, la marge de manœuvre n'est pas très grande. Il faut donc continuer à être particulièrement strict à l'endroit des glucides et des lipides. Le pain ne peut encore figurer qu'au petit déjeuner et le dernier repas reste une collation légère. On s'éloigne un peu du « qui dort dîne » mais pas de beaucoup.

Quoi qu'il en soit, le souci qui m'a guidé est celui de l'équilibre protéique, vitaminique et minéral des rations. Ne pas oublier les suppléments de levure alimentaire à alterner avec le germe de blé. L'équilibre global est obtenu par les sources d'énergie stockée, nous l'avons vu, sous forme de graisse dans laquelle le sujet puise et provoque ainsi son amaigrissement.

La boisson doit toujours être l'eau potable, 1 litre par jour. Ceux qui prendront un verre de vin sec devront tenir compte de la valeur calorique.

En suivant votre régime à 1.250 calories, vous devez donc maigrir. La balance et les tableaux des poids sont là pour vous le confirmer. Si la perte de poids est trop importante, il faut alors passer à la ration 1.500 calories.

MENUS A 1.500 CALORIES

Lundi	Poids des aliments en g	Nombre de calories	Total calorique
Petit déjeuner			**366**
Jus de pomme	50	40	
Lait écrémé	150	67	
Café ou thé une tasse	—	—	
Pain de seigle	60	150	
Miel	10	33	
Beurre	10	76	
Matinée			**68**
Banane moyenne	70	68	
Déjeuner			**751**
Salade de chou :			
50 g de chou blanc et 50 g de chou rouge finement râpés, 1 petit oignon, 1/2 œuf dur, 1/2 pomme, un peu de céleri haché et de persil, 1 cuillerée à café d'huile d'olive, vinaigre, sel, poivre, moutarde	150	120	
Bifteck grillé 125 g	125	256	
Endives braisées 180 g, 10 g de beurre, sel, poivre	190	122	
Salade de fruits :			
1/2 banane, 1/2 pomme, 1/2 orange ou pamplemousse, 2 pruneaux, 40 g de jus de pomme, 1 cuillerée à dessert de raisins secs, 1 cuillerée à dessert de kirsch	165	175	
Pain blanc	30	78	
Après-midi			**32**
Pomme	50	32	

	Poids des aliments en g	Nombre de calories	Total calorique
Dîner			**283**
Potage aux légumes	100	56	
Œuf poché aux artichauts :			
1 œuf, 1 fond d'artichaut, 1 tomate, estragon, sel, poivre, un peu de citron	95	90	
Yaourt, 1 tasse de compote de pomme, 10 g de miel	130	137	
			1.500

Mardi

Petit déjeuner			**370**
Jus d'orange et de citron	100	50	
Lait écrémé	150	67	
Café ou thé une tasse	—	—	
Pain complet	60	144	
Miel	10	33	
Beurre	10	76	
Matinée			**30**
Poire	50	30	
Déjeuner			**781**
Salade d'épinards 200 g, 1 tomate, 1 pomme, 1 œuf dur, persil, cerfeuil, 1/2 citron, 20 g de yaourt	320	190	
Croquette de volailles :			
60 g de blanc, 1 œuf, 15 g de beurre, 15 g de farine, un peu de lait, chapelure, sel, poivre, 1 cuillerée d'huile d'arachide pour la friture	150	360	

	Poids des aliments en g	Nombre de calories	Total calo- rique
Riz aux pois :			
25 g de riz, 50 g de petits pois frais, 50 g de carottes, 1 tomate, 1 gousse d'ail, 1 oignon, persil, cerfeuil, sel et poivre	180	100	
Ananas frais	100	55	
Biscottes	20	76	
Après-midi			**63**
Dattes	20	63	
Dîner			**256**
Potage julienne	100	54	
Fromage blanc 80 g et 20 g de mar- melade	100	202	
			1.500

Mercredi

Petit déjeuner			**361**
Jus de raisin	50	40	
Lait écrémé	150	67	
Café ou thé une tasse	—	—	
Pain grillé	50	145	
Miel	10	33	
Beurre	10	76	
Matinée			**32**
Pomme	50	32	
Déjeuner			**668**
Salade surprise :			
20 g de céleri-rave râpé, 50 g d'endi- ves, 50 g de tomate, 50 g de pomme, 20 g de betterave rouge, une cuille- rée à café d'huile, persil, citron	200	115	

	Poids des aliments en g	Nombre de calories	Total calorique
Poulet au four aux oignons : 250 g de poulet avec os, 35 g oignons en purée, 1 œuf, persil, sel poivre	300	364	
Soufflé de citrouille : 70 g de citrouille, 1 œuf, fines herbes, estragon, sel, poivre	130	105	
Salade fruits : 25 g d'abricots, 25 g d'ananas frais, 25 g de pêches, 25 g de fraises, 25 g de cerises, 1 verre à liqueur de kirsch	135	84	
Après-midi			**68**
Banane moyenne	70	68	
Dîner			**371**
Purée allégée : 50 g de pommes de terre, 100 g de carottes, 100 g de navets, 1 verre de lait écrémé, 10 g de beurre, sel, poivre, épices selon le goût	300	230	
Yaourt 80 g et miel 10 g	90	81	
Framboises	100	60	
			1.500

Jeudi

	Poids des aliments en g	Nombre de calories	Total calorique
Petit déjeuner			**410**
Jus de tomate et d'orange (moitié de chaque)	100	40	
Lait écrémé	150	67	
Café ou thé une tasse	—	—	
Flocons d'avoine (porridge)	30	118	
Sucre	15	59	

	Poids des aliments en g	Nombre de calories	Total calorique
Beurre	10	76	
Pain de seigle	20	50	
Matinée			**43**
Pamplemousse	100	43	
Déjeuner			**712**
Laitue au fromage : 50 g de laitue, 50 g de fromage blanc maigre, 10 g de roquefort, 1 petite carotte râpée, 1 tomate, persil, 1 pointe d'ail, ciboulette, sel, poivre	130	100	
Paupiette au maigre : 100 g de veau (pour la farce : 30 g de jambon maigre, 50 g de champignons, 50 g d'oignon frais, 1 œuf, 1 gousse d'ail), 1 verre de jus de tomate, 1 cuillerée à dessert d'huile d'arachide	350	360	
Pommes de terre 125 g à la tomate 75 g, 1/2 cuillerée à café de concentré de tomate, 1 pincée de basilic en poudre, 1 cuillerée à café de maïzéna, sel, poivre	215	150	
Abricots frais	50	26	
Biscottes	20	76	
Après-midi			**30**
Poire	50	30	
Dîner			**305**
Salade de haricots verts : 200 g de haricots cuits, 25 g d'oignon frais, 50 g de jambon maigre, 1 cornichon, persil, 1 cuillerée à café d'huile d'olive, sel, poivre	285	185	

	Poids des aliments en g	Nombre de calories	Total calo- rique
Gervais	20	81	
Prunes	65	39	
			1.500

Vendredi

Petit déjeuner | | | **370**

Jus frais de pamplemousse	100	42	
Lait écrémé	150	67	
Café ou thé, une tasse	—	—	
Biscottes	40	152	
Miel	10	33	
Beurre	10	76	

Matinée | | | **30**

Poire	50	30	

Déjeuner | | | **678**

Macédoine au crabe : 150 g de macédoine de légumes, 100 g de chair de crabe bouillie, 1/2 œuf dur, 1 cuillerée à café d'huile d'oli- ve, 20 g de romaine, persil, sel, poivre	300	220	
Limande au vin blanc : 150 g de limande, 1 dl de vin blanc sec, 1 citron, 50 g de champignon, 1 échalotte, 10 g de beurre, persil, sel, poivre, chapelure	210	190	
Epinards à la crème : 150 g d'épinards, 50 g de carottes, 30 g de crème fraîche, sel	230	156	
Fraises	100	40	
Pain complet	30	72	

	Poids des aliments en g	Nombre de calories	Total calo- rique
Après-midi			**32**
Pomme	50	32	
Dîner			**390**
Potage de légumes	100	54	
Omelette aux asperges :			
2 œufs, 100 g d'asperges, sel, poivre	200	168	
Pomme au fromage blanc :			
50 g de pomme cuite épépinée et écrasée, 45 g de fromage blanc entier, 20 g de marmelade	105	168	
			1.500

Samedi

	Poids des aliments en g	Nombre de calories	Total calo- rique
Petit déjeuner			**370**
Jus d'orange et de citron (moitié de chaque)	100	50	
Lait écrémé	150	67	
Café ou thé une tasse	—	—	
Pain complet	60	144	
Miel	10	33	
Beurre	10	76	
Matinée			**68**
Banane moyenne	70	68	
Déjeuner			**703**
Salade de chou à la viande :			
50 g de chou coupé très fin, 30 g de laitue, 30 g de carotte râpée, 50 g de bœuf maigre, bouilli froid haché, 1/2 poivron vert haché, 1 cuillerée à dessert d'huile d'olive, vinaigre, sel, poivre	180	210	

	Poids des aliments en g	Nombre de calories	Total calorique
Riz aux œufs :			
40 g de riz, 1 œuf, 1 tomate ou 1 aubergine, 1 poivron, 1 petit oignon, 1 pointe d'ail, 1 cuillerée à café d'huile d'arachide, (tous les légumes doivent être hachés) un peu de farine, sel, poivre, paprika	120	263	
Céleri 125 g aux tomates 125 g, 1 pointe d'ail, 1 petit oignon, romarin, sarriette, sel, poivre, une noix de beurre (5 g)	260	103	
Pêches	100	51	
Biscottes	20	76	

Après-midi			**30**
Poire	50	30	

Dîner			**329**
Potage vert :			
50 g de cresson, 50 g de cerfeuil, 25 g de laitue, 20 g de poireaux, 10 g de beurre, une cuillerée à café de farine, 1/2 œuf, sel, poivre	180	164	
Fromage blanc entier	40	72	
Compote d'orange :			
1 belle orange, 15 g de sucre, 2 cl de kirsch	70	93	
			1.500

Dimanche

Petit déjeuner			**366**
Jus de pomme	50	40	
Lait écrémé	150	67	
Café ou thé une tasse	—	—	
Pain de seigle	60	150	

	Poids des aliments en g	Nombre de calories	Total calorique
Miel	10	33	
Beurre	10	76	

Déjeuner

			706
Salade au pamplemousse : 50 g de laitue, 50 g d'orange, 50 g de pamplemousse, 20 g de pomme, 20 g de yaourt, jus de citron, sel, poivre si on le désire	195	70	
Bœuf haché au four : 125 g de bœuf haché, 70 g de chou finement coupé, 125 g de tomate, 25 g de céleri en menus morceaux, 20 g d'oignon haché, 10 g de persil, 10 g de beurre, épices selon le goût, sel, poivre	385	350	
Roquefort	20	74	
Biscottes	20	76	
Banane chemisée : 1 banane moyenne, 1 crêpe, 10 g de sucre, vanille, cannelle (banane à pocher dans le sirop de sucre) puis caraméliser rapidement au four	90	136	

Après-midi

			108
Tarte à la cerise	30	108	
Tasse de thé non sucré	—	—	

Dîner

			320
Soufflé d'aubergine : 100 g d'aubergine, 1 blanc d'œuf, 8 g de farine, 62 g de lait écrémé ou 1/16 de litre, 10 g de beurre, muscade, sel, poivre	200	160	

	Poids des aliments en g	Nombre de calories	Total calorique
Endives au four au jambon : 50 g de jambon maigre, 1 tranche et 100 g d'endives, sel, épices	150	112	
Framboises nature	80	48	
			1.500

Boissons

Mêmes observations que pour les menus à 800 calories.

OBSERVATIONS

En disposant de 1.500 calories, nous avons la possibilité de mieux équilibrer les rations dans les différents nutriments, sans pouvoir l'assurer encore complètement.

Le petit déjeuner est suffisant et permet d'arriver jusqu'à midi sans la difficulté de onze heures provoquée par la baisse du taux de sucre dans le sang.

Si la ration de lait paraît excessive, il est évident qu'une partie peut être transférée l'après-midi avec une tasse de café ou de thé, ou au dîner.

Du reste, tous les aliments et mets proposés peuvent être remplacés par leurs équivalents, à condition de rester bien entendu dans la limite des valeurs caloriques sans jamais oublier de recevoir les différents nutriments.

Le repas de midi que nous chargeons davantage, compte tenu des habitudes françaises, représente une valeur énergétique suffisante pour soutenir son activité tout en maigrissant, si cela est encore nécessaire, et, quand ce but est atteint, sans reprendre les kilos perdus.

Le dîner, encore réduit, oscille généralement entre 300 et 400 calories. Impossible de le rendre plus substantiel si l'on tient à maigrir. Ces menus légers du soir présentent un très grand avantage ; ils permettent un vrai repos du tube digestif et procurent un sommeil de qualité.

Pensez toujours à votre ration d'eau. Vous pouvez consommer par jour un verre de vin sec de bonne marque.

MENUS A 1.800 CALORIES

	Poids des aliments en g	Nombre de calories	Total calorique
Lundi			
Petit déjeuner			**463**
1 cuillerée à dessert d'huile poly-insaturée	9	81	
Jus de pomme	50	40	
Lait écrémé	150	67	
Café ou thé une tasse	—	—	
Pain de seigle	60	150	
Miel	15	49	
Beurre	10	76	
Matinée			**68**
Banane moyenne	70	68	
Déjeuner			**815**
Salade laitue-tomate : 100 g laitue, 50 g de tomate, 1 cuillerée à café d'huile d'olive, persil ou cerfeuil finement haché, échalotte ou estragon (vinaigre, sel, poivre)	160	98	
Brochettes de Provence : 150 g de viande maigre, 1 cuillerée à café d'huile d'olive, 1 cuillerée à dessert de vin rouge, 1 bouquet garni, du thym, sel, poivre	170	340	
Riz pilaf : 50 g de riz, 1 cuillerée à dessert d'huile d'arachide, tomate, échalotte, sel, poivre	80	250	
Biscottes	20	76	
Pêche	100	51	

	Poids des aliments en g	Nombre de calories	Total calo-rique
Après-midi			**30**
Poire	50	30	
Dîner			**424**
Potage aux pois :			
100 g petits pois frais ou en boîte, poireau, oignon, 1 petite pomme de terre, 1 jaune d'œuf, 10 g de beurre, persil, sel, poivre	150	205	
Flan au caramel			
1/8 de litre de lait écrémé, 1 cuille-rée à soupe de sucre, 1 œuf, 1 cuil-lerée à dessert de sucre pour le caramel	130	219	
Mardi			**1.800**
Petit déjeuner			**451**
1 cuillerée à dessert d'huile polyin-saturée	9	81	
Jus d'orange et de citron	100	50	
Lait écrémé	150	67	
Café ou thé une tasse	—	—	
Pain complet	60	144	
Miel	10	33	
Beurre	10	76	
Matinée			**44**
Figues fraîches (ou 15 g de figues sèches)	50	44	
Déjeuner			**734**
Salade pomme-céleri :			
50 g de pomme, 30 g de céleri, 50 g de laitue, 40 g de fromage blanc maigre, 1/2 jaune d'œuf dur, 1 cuil-lerée à café d'huile de tournesol, persil, moutarde	185	165	

	Poids des aliments en g	Nombre de calories	Total calo- rique
Côtelette à la choucroute : 1 côtelette d'agneau, 100 g de chou- croute, 6 cl de vin blanc sec, 10 g de beurre, baies de genévrier, 1 poi- vron rouge, sel, poivre. Faire griller côtelette et poivron et cuire à la cas- serole la choucroute avec le vin	210	304	
Pamplemousse aux pruneaux : 50 g de pruneaux, 1 pamplemousse, 1 orange ; faire cuire les pruneaux dans leur eau de trempage, les pul- pes d'orange et de pamplemousse pendant une demi-heure. Servir froid, voire glacé	150	215	
Pain de seigle	20	50	
Après-midi			**68**
Banane moyenne	70	68	
Dîner			**503**
Bouillon de légumes	100	54	
Tomates farcies : 60 g de reste de viande maigre, 2 belles tomates, 1 oignon, 1/2 biscot- te, 5 g de beurre, sel, poivre, épices	180	252	
Ananas sur toast : 2 tranches d'ananas, 40 g de tran- ches de pain de mie grillées arro- sées d'un peu de kirsch (1 cuillerée à soupe de marmelade à cuire dans le jus d'ananas jusqu'à consistance sirupeuse)	80	197	
			1.800

Mercredi	Poids des aliments en g	Nombre de calories	Total calorique
Petit déjeuner			**458**
1 cuillerée à dessert d'huile poly-insaturée	9	81	
Jus de raisin	50	40	
Lait écrémé	150	67	
Café ou thé une tasse	—	—	
Pain grillé	50	145	
Miel	15	49	
Beurre	10	76	
Matinée			**56**
Abricots secs	20	56	
Déjeuner			**814**
Romaine aux noix : 100 g de salade, 20 g de noix, 1 cuillerée à dessert d'huile d'olive, vinaigre de cidre, sel, poivre, moutarde	135	220	
Pommes de terre au gratin : 150 g de pommes de terre, 10 g de beurre, 1 oignon, 1/16 de litre de lait écrémé, 25 g de gruyère râpé, chapelure, sel, poivre	360	345	
Camembert	20	62	
Pain de seigle	20	50	
Cassis 120 g et miel 20 g	140	137	
Après-midi			**30**
Poire	50	30	
Dîner			**442**
Carottes Vichy : 180 g de carottes, 10 g de beurre, persil, ail, sel, poivre	200	158	
Œuf au plat avec très peu d'huile	50	95	

	Poids des aliments en g	Nombre de calories	Total calorique
Fromage blanc entier, 75 g, à la confiture 20 g	95	189	
			1.800

Jeudi

Petit déjeuner   **491**

1 cuillerée à dessert d'huile poly-insaturée	9	81	
Jus de tomate et d'orange (moitié de chaque)	100	40	
Lait écrémé	150	67	
Café ou thé une tasse	—	—	
Flocons d'avoine (porridge)	30	118	
Pain de seigle	20	50	
Sucre	15	59	
Beurre	10	76	

Matinée   **32**

Pomme	50	32	

Déjeuner   **776**

Salade de pommes de terre : 100 g de pommes de terre bouillies, 30 g de tomate, 1 gousse d'ail, 1 cuillerée à dessert d'huile d'olive, ciboulette, muscade, vinaigre, sel, poivre	145	225	
Steak aux échalottes : 125 g de filet à huiler, 1 échalotte (émincée alternativement sur les deux faces du steak pendant la cuisson dans une poêle sèche), sel, poivre	130	340	

	Poids des aliments en g	Nombre de calories	Total calorique
Haricots verts aux champignons :			
150 g de haricots, 50 g de champignons, 1 oignon, 1 tomate, sel, poivre, épices	230	100	
Biscottes	20	51	
Cantaloup	200	60	
Après-midi			68
Banane moyenne	70	68	
Dîner			433
Velouté de légumes :			
bouillon de légumes passé à la moulinette avec 10 g de farine, 10 g de beurre, 1 jaune d'œuf	130	229	
Fromage de gruyère	20	81	
Pain complet	30	72	
Pêches	100	51	
			1.800

Vendredi

Petit déjeuner   467

	Poids des aliments en g	Nombre de calories	Total calorique
1 cuillerée à dessert d'huile poly-insaturée	9	81	
Jus frais de pamplemousse	100	42	
Lait écrémé	150	67	
Café ou thé une tasse	—	—	
Biscottes	40	152	
Miel	15	49	
Beurre	10	76	
Matinée			63
Dattes	20	63	

	Poids des aliments en g	Nombre de calories	Total calorique
Déjeuner			802
Salade de chou aux crevettes : 50 g de chou rouge en lamelles très fines, 10 g de câpres, 1 petit oignon, 1 petit cornichon, 25 g de crevettes décortiquées, 15 g de riz à la créole, 1 cuillerée à dessert d'huile de tournesol, vinaigre, sel, poivre	120	162	
Daurade aux herbes : 200 g de poisson sans déchets ou 325 g non vidé (feuilles d'estragon, basilic, menthe, romarin, sariette, thym, persil, deux cuillerées à soupe du mélange), 2 échalottes, 1/2 œuf dur, 1 cuillerée à soupe de lait écrémé, 1 cuillerée à dessert d'huile d'olive, sel, poivre, moutarde. Une cuillerée d'herbes à introduire dans le poisson vidé ; la seconde à utiliser pour faire une farce avec les autres produits	220	290	
Crêpes fourrées au fromage blanc : 1 œuf, 40 g de farine, 1 zeste de citron, 40 g de fromage blanc écrémé, 10 g de miel	160	290	
Poire	100	60	
Après-midi			50
Orange	100	50	
Dîner			418
Velouté aux quatre légumes : 50 g de carottes, 50 g de poireaux, 50 g de tomates, 50 g de pommes de			

	Poids des aliments en g	Nombre de calories	Total calorique
terre, 10 g de céleri, 10 g de lait écrémé en poudre, 10 g de beurre, sel, poivre	230	217	
Œuf à l'estragon : 1 œuf 1/2, de l'estragon en petits morceaux dans l'œuf battu, et 1/4 de boîte de jus de tomate non concentré. Se cuit au bain-marie à feu doux en 20 mn dans un récipient en verre à feu, beurré (5 g de beurre)	115	153	
Melon	130	48	
			1.800

Samedi

Petit déjeuner 467

1 cuillerée à dessert d'huile poly-insaturée	9	81	
Jus d'orange et de citron (moitié de chaque)	100	50	
Lait écrémé	150	67	
Café ou thé une tasse	—	—	
Pain complet	60	144	
Miel	15	49	
Beurre	10	76	

Matinée 56

Abricots secs	20	56	

Déjeuner 800

Crudités au blanc :
25 g de carottes râpées, 25 g de cresson, 25 g de radis, 25 g de betterave, 25 g de chou rouge, 25 g de céleri-rave, 50 g de tomate, 40 g de fromage blanc entier avec un peu de

	Poids des aliments en g	Nombre de calories	Total calorique
cumin, sel, poivre, sauce moutarde avec une cuillerée à dessert d'huile de tournesol	250	216	
Escalope à l'œuf : 125 g de veau, 1/2 jaune d'œuf, 10 g de beurre, 1 cuillerée à dessert de crème fraîche et 1 cuillerée à dessert de cognac, sel, poivre.			
Œuf et crème servent à faire une sauce avec la moitié du jus en cuisson de l'escalope. Le cognac sert à déglacer l'autre moitié du jus avec lequel on arrose l'escalope. Donc deux sauces : une au cognac, l'autre à l'œuf-crème	160	260	
Pain de seigle	20	50	
Compote des trois fruits secs : 20 g d'abricots secs, 20 g de pruneaux, 20 g de raisins secs sans pépins, 25 g de sucre, vanille, eau. Mettre à tremper la veille dans 160 g d'eau, et cuire le lendemain dans l'eau de trempage	85	274	

Après-midi   **32**

Pomme	50	32	

Dîner   **445**

Potage aux pâtes : 1 cuillerée à soupe de pâtes mignonnettes dans 1/4 de litre d'eau et 125 g de lait écrémé ou 1/8 de litre. Ajouter 1 jaune d'œuf battu et 5 g de beurre au moment de servir	160	188	
Fromage de chèvre	20	96	

	Poids des aliments en g	Nombre de calories	Total calorique
Pain de seigle	30	75	
Ananas en conserve	85	86	
			1.800

Dimanche

Petit déjeuner   **463**

1 cuillerée à dessert d'huile poly-insaturée	9	81	
Jus de pomme	50	40	
Lait écrémé	150	67	
Café ou thé une tasse	—	—	
Pain de seigle	60	150	
Miel	15	49	
Beurre	10	76	

Déjeuner   **860**

Salade à la française : 40 g de champignons de couche cuits et émincés, 40 g de pommes de terres cuites, 50 g de tomates crues, 30 g de fines herbes hachées ; sauce avec une cuillerée à dessert d'huile de tournesol, 1 dl de vin blanc sec, sel et poivre	210	172	
Filet de bœuf rôti : 125 g de viande, 12 g de beurre, 1 petit oignon, 1/4 de jus d'un citron, sel, poivre	145	360	
Salsifis à la sauce poulette : 200 g de salsifis, 1/16 de litre de lait écrémé, 1/2 jaune d'œuf, 1 cuillerée à dessert de farine, sel, muscade	290	230	
Biscottes	15	58	
Fraises sans sucre	100	40	

	Poids des aliments en g	Nombre de calories	Total calorique
Après-midi			**96**
Cake	30	96	
Dîner			**381**
Soupe aux petits pois : 25 g de pois écossés, 1 carotte, 1 petit oignon, 1/4 de litre de lait écrémé, 1 cuillerée à dessert de persil haché, 5 g de beurre, sel, poivre	300	175	
Omelette fines herbes : 2 œufs, 1 cuillerée à soupe de lait écrémé, 1 petit oignon haché, 1 cuillerée à soupe de fines herbes hachées, 1 cuillerée à soupe de ciboulette hachée, sel, poivre	170	165	
Pêches	80	41	
			1.800

Boissons

Mêmes observations que pour les menus à 800 calories.

REMARQUES GÉNÉRALES ET RECOMMANDATIONS

Les menus établis pour une valeur de 1.800 calories sont mieux équilibrés. La surveillance attentive dans l'établissement des rations continue bien entendu de s'imposer. Autrement dit, la balance, le pèse-lettre et les tableaux des valeurs caloriques sont toujours indispensables, à moins de savoir celles-ci par cœur et d'avoir, comme l'on dit, les poids dans l'œil.

Même avec les menus à 1.800 calories, le pain continue d'être étroitement contingenté et les pâtes alimentaires restent indésirables, sous peine de déséquilibrer complètement son alimentation.

Le sucre est, lui aussi, très mesuré. Il n'y a pas moyen de faire autrement. La chasse aux glucides ou hydrates de carbone conditionne la réussite de la lutte contre l'obésité.

Certains auteurs conseillent l'utilisation d'édulcorants artificiels. Je suis absolument opposé à cette pratique je le souligne à nouveau. Ces produits sucrants qui sont de purs composés chimiques introduits dans l'organisme peuvent être toxiques. C'est le cas des cyclamates qui font maintenant l'objet d'une interdiction. L'expérimentation sur l'animal tend à établir l'effet toxique de ces substances. « Des jeunes femelles de hamster, écrit le docteur Dermeyer, recevant deux à trois fois par jour des doses de cyclamate de calcium, par la bouche, pendant deux semaines, présentent une mortalité de 75 %, des lésions calcifiées dans les muscles, y compris le myocarde et les reins.

« Sans doute les doses absorbées par les consommateurs américains et anglais ne les exposent pas à ces risques à court et moyen terme. Mais à longue échéance, nul ne peut affirmer qu'elles n'ont pas d'effets néfastes.

« La règle de prudence consiste à écarter, pour le moins de sa consommation courante, boissons et aliments renfermant des édulcorants artificiels.

« La même mise en garde doit être faite à propos de la saccharine. Corps extrait de la houille — sulfimide benzoïque — sa saveur sucrée est deux cents à trois cents fois supérieure à celle du sucre ordinaire. La saccharine est employée pour édulcorer les aliments des diabétiques, à la dose de 5 cg, pure ou associée à du bicarbonate de soude en quantité égale. Non seulement ce produit chimique n'a absolument aucune valeur nutritive, mais il est à la longue toxique (1). »

Il existe aussi des comprimés de *cyclohexyl sulfamate sodique* spécialisé sous le nom de Sucaryl. En attendant que des expériences rigoureuses sur un long espace de temps établissent la non toxicité de ces comprimés, j'en déconseille l'emploi systématique.

Si vous ne voulez pas vous empoisonner lentement mais sûrement, renoncez à tout produit chimique sucrant quel qu'il soit.

*
* *

Dans les différents petits déjeuners, une ration de 150 g de lait écrémé a été indiquée. Il est évident que cette ration peut être répartie en deux ou trois fois au cours de la journée, si on le préfère.

Il est également possible, toujours pour des raisons de convenance ou de goût, de remplacer une partie du lait et du pain par un œuf à la coque ou dur.

Le principe dont il ne faut pas se départir est celui de la valeur calorique des menus et de l'équilibre des nutriments.

Si vous suivez mes différentes recommandations, vous ne subirez aucune carence et surtout pas en protéines, puisque vous consommerez du lait, du fromage, qui sont les grandes

---

(1) Dr. Jean Dermeyer, *Maîtriser et Traiter le diabète.* Andrillon.

sources de protéines fournissant des acides aminés de haute valeur biologique, même si, végétariens, vous supprimiez la viande et le poisson. La nécessité impérieuse de la protection de l'organisme est donc satisfaite.

En revanche, la réduction des glucides et des lipides — réduction et non suppression — vous aidera à vaincre votre obésité, à vous rapprocher du poids souhaitable, sans précipitation, sans médicaments toxiques, donc sans risques pour votre santé.

*
* *

L'eau n'est pas un nutriment, mais elle n'en est pas moins indispensable. Relisez à cet égard très attentivement le chapitre réservé aux boissons.

Si vous consommez du vin (un verre par jour, ou deux pour 1.800 calories), n'oubliez pas de tenir compte de la valeur calorique correspondante.

HUILES ET ACIDES GRAS ESSENTIELS

Si la ration de lipides doit être réduite, cela ne saurait être confondu avec une suppression pure et simple. Certes on peut s'abstenir de corps gras pour un temps ou sur prescription médicale, mais la lutte contre l'obésité, parce qu'elle est fondée sur le critère de l'alimentation complète et équilibrée, implique l'apport des acides gras essentiels.

Le beurre qui figure régulièrement dans les menus à 1.250 calories nous en apporte une certaine quantité ; mais ce sont les huiles vierges du type tournesol, qui contiennent précisément ceux dont nous avons le plus besoin.

A cet égard, je remercie Eric Nigelle de me permettre de reproduire ci-dessous un extrait de son ouvrage :

« Toutes les huiles végétales ont la même valeur calorique, ce qui revient à dire qu'un gramme de n'importe quelle huile fournit neuf calories environ. Ce sont donc des aliments énergétiques de première valeur.

Mais la notion de calorie, pour si utile qu'elle soit, n'est

pas suffisante pour avoir une idée exacte de la valeur nutritionnelle d'une huile. Un facteur infiniment plus important
doit être pris en considération : les acides gras.

Les acides gras sont saturés ou insaturés.

Les principaux acides gras insaturés sont l'acide linoléique, l'acide arachidonique et l'acide oléique. Les deux premiers sont dits polyinsaturés, c'est-à-dire que leurs molécules possèdent au moins deux doubles liaisons. L'acide oléique
ne possède qu'une double liaison, et est dit, pour cette
raison, monoinsaturé.

Ces acides gras insaturés ou essentiels ont une importance
capitale pour la santé. Considérés à juste titre comme des
facteurs vitaux, ils sont assimilés par différents auteurs à
un facteur vitaminique : la vitamine F.

Les acides gras insaturés ou essentiels sont ainsi désignés
parce que leur molécule peut fixer des atomes d'hydrogène.
Ils peuvent être artificiellement saturés en les soumettant au
contact d'un catalyseur, le nickel. C'est ainsi que l'acide
oléique est transformé en acide stéarique.

Il est évident que l'hydrogénation des acides gras insaturés, en modifiant leur formule chimique, leur fait perdre
leur qualité d'acides gras essentiels, de facteur vitaminique.

*
* *

**Les acides gras insaturés sont indispensables à l'économie
organique et il en est un, l'acide linoléique, qui l'est plus
particulièrement, étant donné que l'homme est dans l'impossibilité d'en faire la synthèse.**

**Le choix d'une huile doit être dicté par deux considéra-
tions, compte tenu des observations ci-dessus, huiles à
consommer crues, huiles à cuire.**

**Les huiles à consommer crues peuvent renfermer plus de
2 % d'acide linolénique (à ne pas confondre avec l'acide
linoléique).**

**Dans ce groupe, nous avons retenu, quant à nous, l'huile
de tournesol, l'huile de noix, l'huile de pépins de citrouille.
Il existe aussi l'huile de maïs et de pépins de raisin que nous**

ne retenons pas parce qu'elles doivent obligatoirement être soumises à des opérations de raffinage très poussées.

Les huiles à cuire doivent renfermer moins de 2 % d'acide linolénique : l'huile d'arachide et l'huile d'olive.

Ce taux d'acide gras linolénique inférieur ne signifie pas qu'elles sont impropres à la consommation crue et c'est ainsi que l'huile d'olive par exemple, doit entrer dans les cures périodiques.

Pourquoi ne faut-il pas utiliser pour la cuisson les huiles renfermant plus de 2 % d'acide linolénique ? Parce que cet acide gras tend à abaisser la température critique d'une huile, en d'autres termes le point à partir duquel une huile chauffée commence à se décomposer, et devient dangereuse pour l'organisme si la consommation en est fréquente.

C'est ainsi que les huiles végétales polyinsaturées se décomposent à partir de 160-180 °C ; les huiles d'arachide et d'olive à partir de 200-210 °C ; le beurre et la margarine à partir de 130-140 °C.

Dès que ces températures sont atteintes, le corps gras utilisé change d'aspect, il brunit, et produit de la fumée, expression de la dégradation de ses molécules.

Les huiles crues polyinsaturées et l'huile d'olive monoinsaturée doivent être consommées en cures alternées par cuillerées. Commencer par une cuillère à café, puis passer progressivement à deux, puis une cuillerée à soupe.

En consommant une partie de l'huile crue à la cuillère, l'effet nutritionnel est meilleur et l'on est sûr que l'huile ne restera pas au fond de l'assiette, à défaut d'obliger le consommateur à saucer avec du pain, ce qui serait à l'opposé du régime amaigrissant.

La cure peut avoir lieu à jeun, suivie d'un jus de fruit

comme je l'ai indiqué. Prise à jeun, elle favorise l'exonération intestinale régulière.

La prise peut aussi avoir lieu au cours d'un des deux principaux repas, en prenant ses hors-d'œuvre ou sa salade.

Il faut choisir une huile vierge, donc de première pression à froid. Cette huile crue de bonne qualité, qu'il s'agisse d'huile d'olive, de tournesol, de pépins de citrouille ou autre, est parfaitement digeste et n'entraîne aucune difficulté, même pour les appareils digestifs les plus délicats.

Une cuillerée à soupe contient 13,5 g d'huile soit 15 cm³ ce qui correspond à 13,5 x 9 = 121,5 calories dont il faut bien entendu tenir compte.

*
* *

Je signale enfin que se référant à différents travaux effectués en Angleterre sur les problèmes des acides gras essentiels, le professeur Sinclair d'Oxford a retenu deux effets particulièrement importants :

● « Les huiles polyinsaturées constituent une protection contre les infections en améliorant le pouvoir des muqueuses des voies respiratoires supérieures, notamment les muqueuses nasales et celles de l'intestin, à s'opposer à la pénétration, à l'intérieur de l'organisme, des germes et allergènes.

● « Dans l'espèce humaine, ajoute Sinclair, la sensibilité aux substances cancérigènes est augmentée dans la mesure où les acides gras essentiels sont reçus en quantité insuffisante. L'homme est exposé au cancer de l'estomac, de la vessie et du poumon. Ses besoins en acides gras essentiels étant plus élevés que ceux de la femme, il est plus menacé que celle-ci en cas d'insuffisance. »

Rappelons, en outre que les acides gras essentiels sont des protecteurs de la peau et du tissu artériel et contribuent à la balance du taux des lipides, à condition de bien équilibrer sa ration de corps gras.

HUILE DE PARAFFINE

L'huile de paraffine n'est pas une huile végétale mais minérale. Elle provient de la distillation et du raffinage des pétroles bruts. C'est chimiquement un hydrocarbure. Huile blanche essentiellement formée de carbures à chaînes plus ou moins longues, entièrement différentes de celles des acides gras.

Elle est de ce fait inassimilable, et c'est la raison pour laquelle certains médecins la prescrivent aux obèses en consommation crue pour préparer la salade et combattre la constipation. Hygiénistes, naturopathes et homéopathes sont opposés à cette prescription. Pourquoi ? Eric Nigelle nous le dit dans son étude des oléagineux et des huiles comestibles :

« L'huile de paraffine est sans goût, sans parfum, sans couleur et dénuée d'action toxique et irritante. C'est en effet un laxatif purement mécanique. Mais on a oublié une seule chose, c'est une huile sans valeur biologique, une matière minérale dépourvue de vitamines, sans acides gras insaturés, sans rien d'adéquat à l'économie organique.

« Parvenue dans l'intestin, l'huile de paraffine tend à enduire la paroi intestinale d'un film inabsorbable. Certains médecins, dont le bon docteur Pauchet, recommandaient de prendre cette huile avant ou au milieu du repas. Or si la paraffine est quasiment inabsorbable par la muqueuse intestinale, elle interrompt la perméabilité de cette muqueuse, du moins sur de larges segments. Il en résulte un risque de malnutrition, puisqu'une partie des nutriments ne peut être absorbée au cours de la digestion. Le transit est certes normalisé, voire accru, mais l'évacuation est mêlée de produits nutritifs qui auraient dû passer dans l'organisme. Employé fréquemment, ce laxatif mécanique a une action antinutritive.

Si l'on s'en tient strictement à la réduction de l'obésité, l'huile de paraffine constitue certes un auxiliaire intéressant puisqu'elle permet de réaliser un véritable tout à l'égout pour une grande partie des aliments. Mais c'est au prix de l'équilibre nutritionnel. N'oublions pas que la restriction alimen-

taire doit néanmoins rester au plus près de l'équilibre diététique, et qu'il ne faut pas priver indéfiniment l'organisme
d'acides gras insaturés.

L'huile de paraffine ou huile de vaseline n'a pas sa place
dans l'alimentation de l'obèse ni dans aucun régime.

MARGARINE OU BEURRE

Au point de vue calorique, la margarine et le beurre ont
une valeur à peu près égale. Peut-on indifféremment consommer l'un ou l'autre corps gras ? Point du tout si l'on se place
dans l'optique de l'hygiénisme intégral.

En effet, il ressort des différentes analyses effectuées par
des laboratoires spécialisés et notamment par *Le Laboratoire
Coopératif d'Analyses et de Recherches de Gennevilliers*
(bulletin n° 94) que la composition actuelle moyenne des
margarines vendues sur le marché européen est la suivante :

Huile de poisson	20 %
Huile de palme	10 %
Huile d'arachide	10 %
Huile de colza	15 %
Huile palmiste et coprah	45 %

Je souligne qu'il s'agit là d'une composition moyenne.
Certaines marques renferment moins de 15 % d'huile de
poisson, d'autres plus de 30 %, et d'autres encore plus de
60 %. Des marques ne contiennent pas du tout de colza,
alors que d'autres en ont plus de 30 %. D'autres huiles
végétales peuvent entrer dans la composition, par exemple
l'huile de tournesol.

Toutes les margarines renferment de l'eau, au taux maximum de 16 %, eau qui réalise l'émulsion. Cette eau peut,
pour certains produits, être additionnée de lait en proportions variables. Addition qui améliore la saveur et l'arôme
de la margarine.

On trouve également des composants dits secondaires :

Du diacétyle, liquide jaune qui se rencontre dans les huiles essentielles, dans l'essence d'œillette entre autres, et dans le beurre auquel il communique son odeur.

Notons au passage que l'*Académie de Médecine* a condamné, en janvier 1948, l'emploi du diacétyle dans les margarines car « il n'y a aucune raison pour chercher à faire ressembler les margarines au beurre de qualité ».

Cette addition continue d'être autorisée. Je le regrette quant à moi, non point que le diacétyle soit dangereux, le beurre en contient, mais parce que l'aspect des deux produits — l'aspect et non le goût — prête à confusion. L'Académie de Médecine a tout à fait raison à cet égard.

Autres composants qui peuvent être inclus :

le sel, de 2 à 9 g par kg selon les marques ; des émulsifiants, 0,20 % de lécithines propres à améliorer la fabrication ; de la fécule, de l'ordre de 0,4 %, obligation prévue par la loi, en vue de servir de révélateur et de permettre, en cas de doute, de distinguer entre le beurre et la margarine ; du sucre, de l'ordre de 0,30 % pour améliorer l'utilisation du corps gras pour la cuisson des aliments.

Voici ce qu'a écrit le docteur André Schlemmer disciple de Paul Carton dans *Méthode naturelle en médecine* :

« D'après les renseignements qui précèdent, la contexture physique et la composition chimique de la margarine, du moins de celle ici décrite, a une certaine ressemblance avec celle du beurre.

Il y a pourtant entre les deux corps gras une grande différence, c'est l'évidence clinique. Seules les personnes très robustes, stimulées par une alimentation de grand feu, peuvent n'en pas être affectées. Nombreux sont les sujets délicats qui détectent, d'une manière infaillible, par leurs malaises, la présence de margarine au lieu de beurre dans la cuisine ou la pâtisserie. L'observation est trop commune pour être le fait d'une suggestion, mais les inconvénients n'en sont parfois éprouvés qu'à la longue. »

Je souscris entièrement à cette observation fondée sur une longue expérience, et je conclus que la margarine est contre-indiquée aux dyspeptiques, à tous les estomacs délicats.

● **Mais il y a, à mes yeux, beaucoup plus important, c'est l'hydrogénation. Nous avons vu que les acides gras insaturés sont transformés en saturés par cette opération sans laquelle la margarine actuelle n'existerait pas. Or nous savons que les acides gras insaturés sont indispensables à l'économie organique humaine et que, d'autre part, l'excès d'acides gras saturés expose les prédisposés, selon les travaux de Sinclair, à l'athérome et aux accidents artériels et corona-riens, consécutifs à l'accumulation de bouillies lipoïdiques dans les tuniques artérielles, entre l'intima et la média, une des caractéristiques de l'athérosclérose.**
C'est donc la seconde raison, bien plus grave que la première, qui nous fait déconseiller formellement la marga-rine en usage constant.

● Autre point non moins important, la présence d'huile de colza dans de nombreuses marques. Tant que toute la lumiè-re n'aura pas été faite sur la non toxicité de l'acide érucique et de l'acide gadoléique à des taux élevés contenus dans cette huile, nous continuerons à déconseiller la consomma-tion d'huile de colza. Cette huile est interdite dans plusieurs pays.

Cela dit, je n'ai point la phobie des margarines, je me garde seulement d'en faire une consommation courante. Quant aux personnes qui affirment ne jamais consommer de margarine, elles en absorbent à leur insu dans la pâtisserie du commer-ce, dans les croissants et davantage encore dans les biscuits.

Dans les pays anglo-saxons, et je me suis laissé dire que cela se pratiquait aussi dans certaines biscuiteries en Euro-pe, on utilise du *shortening*. C'est un mélange d'huiles végé-tales et de graisses d'animaux marins, donc des margarines, mais des margarines pourrait-on dire aggravées « vraiment innommables, écrit le docteur Schlemmer, et d'ailleurs elles se cachent ; la ménagère les ignore ; le consommateur qui les absorbe, incorporées dans les biscuits, biscottes et pâtisseries n'en connaît ni la présence, ni même le nom, et il est d'ailleurs bien difficile d'en savoir la composition totalement incontrôlée : graisse d'équarrissage probablement. Le mot *shortening* = raccourcissant, signifie qu'on les utilise pour faire des *shorts breads*, c'est-à-dire des biscuits à pâte non liée, granuleuse ».

Circonspection à l'égard de la margarine. Prudence quant à la consommation des biscuits quand leur composition n'est pas strictement connue.

ÉPICES

J'ai indiqué dans les différents menus qu'il n'est pas interdit d'ajouter du poivre et des épices selon le goût. Or je n'ignore pas que certains hygiénistes condamnent celles-ci et celui-là. C'est un tort. Il ne faut certes pas en consommer à l'excès. On doit toujours se souvenir de l'aphorisme de Paracelse : « Seul l'excès fait le poison. » Epices et aromates nous apportent en effet des éléments précieux, des impondérables particulièrement utiles à l'économie organique.

Qu'il me soit permis de citer Louis Lagriffe qui a consacré à cette question un important ouvrage :

« Douées [les plantes] de toutes les vertus médicinales nécessaires à sa santé, l'homme a su tirer parti de leurs propriétés pour en faire de véritables panacées, telle la sauge, la plante salvatrice par excellence, si bien immortalisée par l'école de Salerne :

L'homme aux traits de la mort doit-il être accessible
Quand il peut appeler la Sauge à son secours ?

« Dans les unes et les autres, il a su trouver toutes les propriétés dont il avait besoin pour sa santé.

« Des diurétiques dans l'ache, le fenouil, le persil ou l'oignon.

« Des antiscorbutiques dans le cresson, le cochléaria et le raifort.

« Des antiseptiques dans le thym, l'ail, le serpolet et la menthe.

« Des antispasmodiques dans le basilic, la sauge, la marjo-
laine et la lavande.

« Des carminatifs dans toutes les ombellifères, l'anis, la
coriandre, la cannelle et le poivre.

« Des balsamiques dans l'hysope, le genièvre et le myrte.

« Des cholagogues et des cholérétiques dans le romarin,
le curcuma, le raifort.

« Des topiques avec la moutarde et, aussi des vermifuges,
des hypotenseurs, des galactogènes, des expectorants et bien
d'autres vertus dans la plupart de ces plantes, dont beaucoup
sont polyvalentes, douées de tant de propriétés que pendant
longtemps, elles ont suffi pour traiter les maux les plus
variés : anorexie, anémie, arthritisme, infection des voies
biliaires et urinaires, les spasmes nerveux, les métrorragies,
et même d'autres plus graves, tels que le cancer contre lequel
le modeste persil est, suivant certains auteurs, souverain ou
la tuberculose qui, suivant d'autres, était justiciable du
simple cresson (1). »

Donc ne manquez pas d'utiliser les épices selon votre
goût. Vous n'avez que l'embarras du choix. Quant au poivre,
c'est à la fois un tonique de l'organisme et un stimulant de
l'estomac. « Aussi bien faut-il se garder, écrit Eric Nigelle,
comme tant de médecins l'ont fait si légèrement, de condam-
ner les épices en général et le poivre en particulier. Consommé sans excès, il compte parmi les facteurs sûrs de santé. »

SEL

Avec le poivre, parce qu'à la cuisine l'un va rarement sans
l'autre, j'ai aussi indiqué l'emploi du sel. Le régime sans sel
ne convient pas à l'obèse. Relisez, à cet égard, les chapitres
L'eau et l'organisme et *Obésité et eau*. Le sel a peu à voir
avec l'obésité et, à moins de pâtir d'une affection rénale
chronique, il est antihygiénique de le supprimer car cet
élément est indispensable à l'économie.

---

(1) Louis Lagriffe. *Le livre des épices, des condiments et des aromates*. Robert Morel.

A l'appui de ce que j'ai écrit moi-même dans *L'Alimentation équilibrée pour tous les âges*, je citerai un article du docteur Frank Mirce :

« Le sodium, malgré la mauvaise presse du sel, est, lui aussi, un élément indispensable à l'organisme et au métabolisme de l'eau.

« Il régit le volume des liquides intra et extra-cellulaires. L'hormone antidiurétique sécrétée par l'hypophyse contrôle la sécrétion d'urine et donc le volume de l'eau, de sorte que la concentration de sodium n'augmente pas et reste à son taux spécifique. C'est ce qu'on appelle la natrémie ou taux de sodium dans le sang qui est normalement de 3,20 g par litre.

« Un excès de sel entraîne donc une rétention d'eau consécutive à l'émission d'hormone antidiurétique, afin de maintenir le taux de 3,20 g par litre. A l'inverse, l'insuffisance de sel diminue la sécrétion de l'hormone, et la diurèse est augmentée, toujours pour maintenir le sodium à son taux normal.

« Le rôle de ce sel est donc capital pour l'équilibre osmotique des humeurs, autrement dit entre les liquides interstitiels et les liquides intra-cellulaires, riches en potassium et, comme nous venons de le voir, avec le plasma.

« Les besoins quotidiens, nous l'avons déjà dit, sont de l'ordre de 5 g par jour. Il ne faut donc pas, sous prétexte de vouloir maigrir, supprimer le sel, mais il n'est pas nécessaire de saler les plats au cours du repas, et la préparation culinaire doit être, à cet égard, modérée, afin de ne pas dépasser les 5 g. Le régime habituel est généralement suffisant pour couvrir les besoins.

« Cependant, au cours d'un effort soutenu, voire intense, d'une compétition sportive, le comportement à l'endroit du sodium peut et doit être différent. Nous devons considérer, en effet, qu'un effort provoque une abondante sudation, qui entraîne une perte de sodium alors que les toxines de fatigue s'accumulent dans les tissus, et que la diurèse diminue du fait de la perte d'eau et de l'appauvrissement en sodium.

« Pour rétablir l'équilibre et provoquer une émission d'urine abondante, facilitant l'élimination des toxines de fatigue, il est logique de soutenir qu'il est nécessaire de recevoir un supplément de sodium et d'eau, et, bien évidemment, d'oxygène, par des exercices de respiration complète et contrôlée.

« C'est la thèse que défendent les docteurs Creff et Bérard dans leur livre *Sport et alimentation* (1). « Nous appuyant sur le fait, écrivent-ils, que le stock en chlorure de sodium a subi une spoliation pendant l'effort, surtout lorsque la transpiration a été abondante, nous continuons à recommander un apport salé immédiatement post-compétitif. »

« Le docteur Creff a fait, à cet égard, des expériences concluantes. C'est pourquoi j'invite les lecteurs soumis à de rudes efforts et plus particulièrement quand les conditions de température sont excessives, à penser à cette spoliation de sel génératrice de prolongation de la fatigue. Il est indiqué dans ce cas, d'absorber un supplément de 3 g de chlorure de sodium dans un litre d'eau, à répartir suivant la formule que le docteur Creff a employée par exemple pour un coureur cycliste, un quart de litre immédiatement après l'effort, un quart de litre avant le dîner, un demi-litre après le dîner.

« Bien évidemment, les hypertendus, les cardio-rénaux, les ascitiques soumis au régime hyposodé ne doivent, en aucun cas, est-il besoin de le préciser, se livrer à une semblable supplémentation. Du reste, les efforts auxquels je fais allusion ici leur sont rigoureusement interdits. »

Il n'y a plus aucun doute sur l'utilité du sel sauf contre-indication. Vous ne devez donc pas craindre au cours même de vos cures anti-obésité d'en user quotidiennement, sans jamais dépasser la dose mentionnée ci-dessus. Ce qui revient à dire qu'il faut se garder d'avoir la main large. Ici comme ailleurs *seul l'excès fait le poison.*

---

(1) A.F. Creff et L. Bérard. *Sport et Alimentation.* La Table Ronde.

LES SELS ET L'EAU

Il vient d'être question du chlorure de sodium ou sel de cuisine. Mais chacun sait que l'équilibre des milieux intra et extra-cellulaire fait intervenir d'autres sels ainsi que nous allons le voir plus loin.

Il est évident que la mobilisation de ces sels, leur concentration optimale est fonction de la ration d'eau fournie à l'organisme régulièrement. Quand est-il opportun de boire ? Diététiciens et hygiénistes répondent « entre les repas ». Et ils ont absolument raison. Boire peu en mangeant afin de conserver aux sucs digestifs leur concentration et favoriser la digestion. Nombreuses sont les dyspepsies provoquées par un excès de liquides pris au déjeuner et au dîner.

Si, d'autre part, vous avez un effort à faire, grand nettoyage, travail physique soutenu ou épreuve sportive, buvez avant l'effort. L'effort physique entraîne, en effet, un accroissement de la transpiration, accroissement de la perspiration cutanée. Parallèlement et pour limiter la déshydratation, l'hypophyse produit de l'hormone antidiurétique qui diminue la sécrétion urinaire. Mais il semble évident que ce freinage de la diurèse ralentit d'autant l'épuration du milieu intra et extra-cellulaire et du plasma.

En absorbant régulièrement de l'eau avant et, si nécessaire au cours de l'effort, il est clair que la diminution de la sécrétion urinaire sera plus faible, voire inexistante, et, par suite, la fatigue consécutive à l'effort sera moindre, et les conséquences de l'accumulation des toxines de fatigue seront prévenues.

La quantité d'eau à absorber, avant et pendant l'effort, est fonction de l'intensité de celui-ci. Elle peut varier de 200 à 700 millilitres. Ne pas prendre d'eau glacée et l'absorber par verre et jamais une grande quantité à la fois.

MAGNÉSIUM

Conjointement à la couverture des besoins hydriques, il importe d'assurer celle du magnésium. Frank Mirce a signalé, dans *Les Sels minéraux et la santé de l'homme,* qu'une subcarence de magnésium entraîne l'affaiblissement du tonus musculaire, des contractures et une fatigue générale.

On sait que la nourriture des Occidentaux est généralement chargée en protéines, mais ce que l'on sait moins, c'est que cet excès accroît les besoins en magnésium indispensables aux processus d'assimilation ou anabolisme.

De même les régimes riches en produits laitiers, parce que le supplément de calcium-phosphore reçu tend à s'opposer à l'absorption de magnésium ; il est alors nécessaire d'augmenter la ration.

Etant donné le déficit chronique des sols en magnésium, la cure magnésienne sous forme de solution ou de cachets est indispensable (20 g de chlorure de magnésium par litre d'eau, 10 cl par jour pendant quinze jours par mois, sauf contre-indication du médecin).

Il résulte des enquêtes diététiques faites, tant auprès des enfants, des adolescents, des adultes hommes et femmes, des sportifs et des retraités, que la carence de l'alimentation en magnésium est quasi générale.

C'est le magnésium érythrocytaire qui présente ici de l'intérêt, c'est-à-dire le magnésium des globules rouges du sang et non celui du plasma. Et la recharge est bien obtenue avec la cure préconisée ci-dessus.

Retenons, en outre, que la vitamine B6, ou pyridoxine est indispensable à la pénétration du magnésium dans les cellules. Il importe donc de veiller à éviter les infracarences en faisant des cures périodiques de levure alimentaire. Le germe de blé, le pain complet, le foie de bœuf, la poudre de lait en sont bien pourvus.

La solution de chlorure de magnésium n'est pas, certes, très agréable à boire. Elle présente cependant l'avantage d'apporter une partie de l'indispensable ration d'eau. Si vous suivez cette cure avec des cachets, ne manquez pas d'absorber en même temps un grand verre d'eau.

POTASSIUM

Cet élément a aussi une très grande importance dans l'économie. C'est un régulateur physico-chimique intra-cellulaire et acido-basique qui renforce le cœur et accroît le tonus général. Indispensable aux muscles, il favorise la digestion et l'assimilation.

Mais c'est plus particulièrement sur les conséquences de la fatigue et de l'élévation du taux de potassium dans le plasma sanguin que je voudrais attirer l'attention de mes lecteurs. J'aurai, là encore, recours aux docteurs Creff et Bérard qui écrivent, dans l'ouvrage précité : « Les toxines de fatigue sont véhiculées par l'eau. Or, cette eau n'est convenablement excrétée que s'il n'y a pas insuffisance potassique cellulaire, pour régler le taux de la kaliémie plasmatique. Mais il semble bien que la mise en jeu de ce mécanisme régulateur soit relativement lente et que, pendant ce temps, les toxines non éliminées, du fait de cette rétention hydrique passagère, altèrent toutes les cellules de l'économie. Il est donc important de soulager l'organisme en lui apportant du potassium rapidement après l'effort, et en lui permettant ainsi d'excréter les urines chargées de toxines. Sinon la détoxication n'interviendra que plus tard... »

Ce supplément de potassium nécessaire peut être trouvé dans les légumes, salades et fruits non sucrés et notamment dans le persil qui est en même temps une source extraordinaire de sels minéraux et oligo-éléments.

Prenons donc l'habitude de recevoir notre ration d'eau, pensons toujours à l'importance du magnésium et, en cas d'efforts importants ne perdons pas de vue le rôle du sodium et du potassium dans l'élimination des toxines de fatigue. Le rôle de l'eau est déterminant dans la défense de la santé. Tous ceux qui luttent contre l'embonpoint ne doivent jamais l'oublier.

LA VIANDE EST-ELLE INDISPENSABLE ?

Grande question à laquelle on n'a jamais fini de répondre. Querelle permanente entre les végétariens et les omnivores. Querelle qui ne concerne pas seulement la diététique mais aussi une certaine philosophie.

Je vais essayer d'avancer quelques propositions en m'efforçant d'être le plus objectif possible.

La viande nous apporte essentiellement, comme chacun le sait, des protéines. Celles-ci, soumises à une réaction de dédoublement, autrement dit scindées en molécules plus simples, au cours de la digestion, fournissent les acides aminés.

Rappelons que parmi les acides aminés, ceux réputés indispensables sont les suivants : arginine, cystine, histidine, isoleucine, leucine, lysine, méthionine, phénylalamine, thréonine, tryptophane, tyronine, valine. Indispensables parce que l'organisme humain n'est pas en mesure d'en faire la synthèse à partir d'autres substances ingérées.

En plus de l'azote et des acides aminés, les protéines fournissent du soufre et du phosphore. La viande renferme en outre du fer et des vitamines, B1, B2, PP.

Ce n'est sans doute pas par ces éléments et biocatalyseurs que la viande se singularise, mais surtout par sa teneur en acides aminés.

Quelle que soit son origine, bœuf, veau, mouton, etc., elle possède, à peu de chose près, une valeur identique.

Autres avantages de la viande : elle détermine une action tonique sur l'appareil cardio-vasculaire ; elle excite les sécrétions gastriques, et les fonctions hépatiques et rénales.

Les inconvénients de la viande sont en revanche fort nombreux. C'est un aliment gras, même le bœuf renferme 16 % de graisse. Il ne s'agit pas de graisse visible, mais invisible, celle contenue dans le tissu, les cellules. Corps gras riche en acide stéarique qui est un acide gras à très grosses molécules tout à fait indésirable, notamment pour les sujets porteurs d'affections cardio-vasculaires.

La viande a une teneur élevée en acide urique, de l'ordre de 100 mg pour 100 g, et de purine environ 40 mg pour 100.

« En ce qui concerne les sels minéraux, écrit le docteur André Schlemmer, la teneur de la viande en calcium est faible (environ cinq fois moins que l'œuf et le pain, dix fois moins que le lait, et cent fois moins que le fromage). La viande n'a donc pas la valeur recalcifiante des laitages, de l'œuf et des céréales. La teneur en fer est égale à peu près à celle de l'œuf, très inférieure à celle de la lentille. La teneur en phosphore égale celle de l'œuf, mais est quatre fois moindre que celle du fromage ; celle en sodium assez faible, comme celle de l'œuf, celle en potassium relativement forte. »

*
* *

Je ne retiendrai pas ici le reproche fait à la viande d'apporter un poison : les ptomaïnes. Les ptomaïnes, du grec ptôma, cadavre, proviennent de la fermentation des matières albuminoïdes sous l'action de microbes. Ces dangereux alcaloïdes ne peuvent, par définition, se trouver que dans la viande putréfiée ou faisandée, ce qui à mes yeux est synonyme. Mais l'excès de purine et d'acide urique soumet le foie et les reins à rude épreuve, puisque ces substances toxiques sont éliminées par ces organes.

Il n'est donc pas douteux que l'excès de viande entraîne une auto-intoxication de l'organisme. L'appareil cardio-vasculaire est le premier menacé par l'artériosclérose et l'athérosclérose. Viennent ensuite les reins et le foie, l'intestin en raison de l'insuffisance des déchets produits par la viande et de la constipation qui en résulte.

Le régime hypercarné expose en outre au déséquilibre

thyroïdien, à la lithiase biliaire, aux calculs rénaux urati-
ques, à la goutte, aux rhumatismes, à l'hypertrophie de la
prostate.

*
* *

La viande nous fournit les acides aminés indispensables.
C'est un fait. Partant de là, elle est considérée comme strictement nécessaire aussi bien aux enfants, aux adultes, qu'aux
vieillards. Et ce postulat était accepté jusqu'ici par la science
officielle. Dans les restaurants, la viande est offerte comme
plat principal et tout le reste n'est qu'accessoire. Dans les
familles, la viande est tenue pour un aliment de force, four-
nisseur d'énergie et favorable à l'intelligence.

Or, de leur côté, les hygiénistes, les naturologues, les
homéopathes, de nombreux diététiciens et médecins officiels mettent en garde les consommateurs contre les dangers
exposés ci-dessus.

La contradiction est flagrante. Il s'agit donc de concilier
les contraires. D'une part, le désir quasi incoercible de nos
jours de consommer de la viande ; d'autre part, les risques
à long terme attachés à cette consommation.

Il ne sert pas à grand-chose de dire aux gens « ne mangez
pas de viande parce que... ». Nous ne pouvons pas négliger
la motivation psychologique.

En revanche, il est possible de les amener à réduire les
quantités. Et précisément la solution de la contradiction
réside dans la réduction des quantités. Peu de viande n'est
pas néfaste ; beaucoup de viande est dangereux.

Je l'ai écrit dans mon livre sur l'alimentation : « il y a
excès lorsque la consommation atteint trente-cinq kilos par
an et par personne ». Or cette quantité est non seulement
atteinte, mais largement dépassée par une immense majorité de personnes dans nos pays. Comment s'étonner dès lors
du développement croissant des maladies de dégénérescence ?

La quantité de viande consommée par un adulte d'activité
moyenne devrait donc être inférieure à 35 kg par an.

Cette quantité est compatible avec les possibilités de réduction des protéines animales par notre organisme et l'élimination des déchets : urée, ammoniaque, acide urique, acide
hippurique, créatinique.

Les viandes sont d'autant plus faciles à digérer qu'elles
sont moins grasses. Citons le bœuf, le veau (malheureusement le veau possède une teneur élevée en nucléoprotéines
mal assimilées), le cheval, le poulet, le lapin.

*
* *

La réponse à la question « la viande est-elle indispensable ? » s'est peu à peu dessinée. On peut manger de la
viande, mais la quantité doit en être très sensiblement réduite
afin de ne pas dépasser les possibilités humaines d'assimilation et de désassimilation.

On peut en manger, cela signifie que l'on n'y est pas obligé.
En effet, nous avons vu que la viande nous fournit des acides
aminés. Mais on sait que le lait, les produits laitiers, les
œufs renferment, en teneur élevée, ces acides aminés et que
leur consommation est particulièrement intéressante à plus
d'un titre.

*
* *

L'œuf, je l'ai souligné dans mon livre précité renferme des
protéines de haute valeur biologique, ovalbumine dans le
blanc, ovovitelline phosphorée dans le jaune, des lipides
phosphorés (phosphatides) et azotés (lécithines de choline),
des sels minéraux, des vitamines A, D, E, B, B2 et PP.

En ce qui concerne le lait et les produits laitiers, je
rappellerai leur richesse en calcium. Cette seule considération permet de souligner que s'il est possible et souhaitable
de remplacer la viande par le lait et les fromages, il n'est
pas possible de faire le contraire au plan diététique.

Les quantités de viandes mentionnées dans mes menus
sont compatibles avec les possibilités humaines d'assimilation. En dépit des impératifs de la cure, j'ai aussi fait en
sorte que les rations en lait, produits laitiers et œufs soient

suffisantes. Retenir que la viande peut être remplacée par le poisson mais que le poisson ne peut pas non plus remplacer le lait.

*
* *

En ce qui concerne les substitutions, rappelons que : 100 g de viande de boucherie (poids net) peuvent être remplacés par 100 g de poisson mais aussi par deux œufs 1/2 moyens, 1/2 litre de lait ou 250 g de lait caillé, ou quatre petits pots de yaourt ou 60 g de gruyère.

VÉGÉTARIENS - VÉGÉTALIENS

Il résulte de ce que nous venons de voir à propos de la viande, du lait et des œufs que le problème fondamental est celui de la valeur des protéines. Il est admis que celles d'origine végétale ne peuvent pas remplacer en totalité, pour l'homme, celles d'origine animale parce qu'elles ne contiennent pas tous les acides aminés dont nous n'assurons pas la synthèse. Référons-nous une nouvelle fois au docteur Schlemmer : « Le régime végétalien, dit-il, (celui des personnes qui ne consomment ni viande, ni lait, ni produit laitier, ni œuf) rend de grands services chez les pléthoriques, les rhumatisants, les néphrétiques, mais il ne doit être prescrit que pour un temps limité. »

Mais on peut se passer de viande et s'en tenir à une alimentation lactovégétarienne qui inclut également les œufs. C'est le régime végétarien.

« On a cependant remarqué, observe Eric Nigelle dans *Pouvoirs merveilleux du chou*, à propos de sectes religieuses et des végétaliens stricts qui refusent la moindre parcelle de viande et de produits animaux que leur régime est compatible avec la santé relativement normale : régime fondé sur les céréales, les fruits, les légumes dont les choux.

« Or cette plante potagère renferme parmi les protéines, de la lysine au taux de 7 %. Ainsi le chou compense la pauvreté des céréales en lysine, amino-acide essentiel qui est apporté aux omnivores par les œufs et la viande. Le taux de 7 % de protéines brutes contenues dans le chou, taux semblable à celui de l'œuf, équilibre et dynamise en quelque sorte les protéines des autres sources végétales et valorise le régime végétalien. »

Donc, si vous vous en tenez à une alimentation uniquement composée de céréales, légumes et fruits veillez à avoir une ration régulière de chou afin de vous rapprocher de l'équilibre optimal des acides aminés.

LEVURE ALIMENTAIRE

Quel que soit le régime adopté, quelle que soit la quantité globale de calories reçues, il est indispensable d'introduire de la levure alimentaire ou de bière. Je me suis déjà expliqué à ce propos dans d'autres ouvrages mais je vais apporter ici de nouvelles précisions.

Les levures appartiennent à la classe des champignons microscopiques. Elles ont, comme chacun le sait depuis la découverture de Pasteur, le pouvoir de fermenter les solutions sucrées en donnant de l'alcool et du gaz carbonique. Fermentation anaérobie, c'est-à-dire sans air, donc où l'oxygène n'est pas engagé.

Les levures alimentaires entrent dans le processus analogue des fermentations mais, dans ce cas, elles sont élevées dans les meilleures conditions possibles pour être utilisées en diététique humaine. « Elles se multiplient, écrit Hugues Gounelle, en puisant dans les solutions sucrées, réalisant ainsi la synthèse biologique des protéines. Leur concentration est d'environ dix milliards de cellules au gramme. Elevées en colonies sur milieu gélosé sucré, conservées au froid, elles sont repiquées au bout de périodes variables selon les laboratoires, et leur durée de conservation se chiffre par année. »

Stabilisée par séchage, la levure-aliment est une levure noble, et la seule qui pour l'alimentation doit être retenue est la levure de bière, *saccharomyces cervisiae*, (levure alimentaire) distribuée dans les maisons spécialisées en poudre ou paillettes jaune pâle ou en comprimés.

Rappelons la composition comparative qui a été donnée par l'ingénieur chimiste Sonntag :

« 100 grammes de levure-aliment fournissent autant de protéines que 250 grammes de viande et autant d'amidon (glycogène) que 65 grammes de pain. Les protéines de la levure, d'excellente qualité, renferment tous les acides aminés indispensables à la vie et, parmi eux, à un taux égal à celui de l'œuf et du lait, l'acide aminé de la croissance, la lysine.

100 grammes de levure-aliment renferment :

— 10 fois plus de vitamine B1 (aneurine) que le pain complet ;

— 2 fois plus de vitamine B2 (riboflavine) que le foie ;

— 10 à 20 fois plus de vitamine PP (niacine) que la viande ;

— 10 fois plus de vitamine B6 (pyridoxine) que la viande ;

— 5 à 10 fois plus d'acide panthoténique que les céréales ;

— 20 fois plus d'acide folique que le son de blé.

La levure-aliment est la source naturelle la plus riche en vitamines du groupe B.

De plus, elle renferme des quantités d'ergostérol (provitamine D) telles qu'une fois irradiée, son action antirachitique est quatre fois plus intense que celle de l'huile de foie de morue.

La levure-aliment est une source importante de glutathion, tripeptide soufré, qui joue un rôle déterminant dans les réactions d'oxydo-réduction et dans les processus de détoxication. La glutathion contribue à augmenter la résistance à l'infection.

L'intérêt alimentaire, diététique et thérapeutique des levures sèches réside dans la coexistence au sein de leurs cellules de protides biologiquement riches, de vitamines du groupe B très abondantes et de facteurs catalytiques dont certains ne sont pas encore identifiés. Cette juxtaposition naturelle provoque une synergie d'action, les éléments réunis naturellement ayant une efficacité physiologique supérieure à la somme des actions des divers éléments administrés isolément.

Les levures peuvent donc, à juste titre, revendiquer une place de choix parmi les aliments d'équilibre et d'épargne. »

Sonntag a absolument raison. Certes, si les levures manquent de vitamines A, C et C2 notamment qui sont des vitamines essentielles, leur richesse en vitamines du groupe B (sauf B12 dont la teneur est faible) et en glutathion en font un aliment de complément remarquable.

On sait que les vitamines du complexe B jouent un rôle déterminant dans l'équilibre de la cellule nerveuse, notamment la B1 ou thiamine dont l'action est capitale dans la transmission de l'influx nerveux. Cette vitamine régularise l'effet de la cholinestérase, enzyme qui doit réduire l'acétylcholine dès que ce médiateur de l'influx a joué son rôle.

La B2 ou riboflavine participe à la constitution de nombreuses enzymes et notamment des oxydases indispensables à la respiration cellulaire.

Je ne peux bien entendu passer en revue toutes les vitamines du groupe B. Les lecteurs intéressés devront se reporter à mon livre *Connaître et utiliser les vitamines*. Il suffit de retenir l'importance de la levure alimentaire à cet égard.

*
* *

A propos de glutathion, dont le rôle protecteur revêt une grande importance, voici ce qu'écrivait le professeur Léon Binet : « La possibilité qu'offre la levure d'élever le taux de glutathion sanguin n'est pas sans intérêt, car chez les sujets bien portants du même âge, le taux de glutathion oscille peu autour d'une valeur moyenne, mais pendant certaines périodes, la valeur moyenne s'abaisse, et on a pu noter que cette chute coïncide avec le fléchissement de l'état sanitaire.

« D'autre part, certains troubles pathologiques sont aussi

caractérisés par une diminution importante de glutathion. Il est donc intéressant de posséder un moyen pratique, capable de maintenir et parfois d'augmenter le taux de glutathion sanguin.

« Je conseille volontiers la prise de gâteaux de farine de blé et de levure, pour lutter contre les méfaits de la cinquantaine et au-delà. »

A inclure bien entendu dans l'évaluation calorique globale du régime anti-obésité, si l'on suit le conseil du docteur Binet.

Oui, c'est un conseil à suivre avec d'autant plus d'assiduité que, selon certains auteurs, la levure alimentaire serait un préventif du cancer. Je souligne le substantif *préventif* à ne pas confondre avec *curatif*.

*
* *

Dans tous les cas de fatigue, et n'oublions pas que la fatigue est une intoxication larvée, qu'il s'agisse de surmenage physique ou intellectuel ou de surentraînement chez les sportifs, la levure apporte, outre les vitamines précitées et le glutathion, un supplément d'acides aminés de haute valeur biologique.

Cette notion qualitative de protéines fournies est très importante, car il ne s'agit pas de couvrir sa ration de protéines, mais de recevoir celles qui sont adéquates à notre économie parce que nous ne pouvons pas, comme les herbivores, par exemple, faire la synthèse des acides aminés indispensables.

La levure-aliment renferme 50 % de son poids sec en protéines, taux supérieur à la viande. Si l'on tient seulement compte de la qualité, elle tient le troisième rang, derrière l'œuf considéré à cet égard comme l'étalon qualitatif, et le lait, mais bien avant les protéines végétales et notamment les céréales, y compris le blé.

Nous souscrivons donc entièrement à l'observation du professeur Hugues Gounelle qu'il formule ainsi : « L'intérêt des levures réside principalement dans leur teneur en protéines biologiquement riches et dans leur abondance en vitamines dont la synergie d'action permet d'obtenir un effet supérieur à celui des vitamines isolées ou synthétiques. La levure réalise un complexe dans lequel les vitamines sont associées avec d'autres facteurs catalytiques. Dans une étude sur le contrôle des métabolismes des acides aminés par les vitamines B2, Terroine insiste sur les interférences de la décarboxylation et de la transamination par les ferments du groupe de la pyridoxine et sur les interrelations tryptophane — pyridoxine — acide nicotinique. La coexistence de ces acides aminés et de ces vitamines au sein même des levures présente un facteur de « facilitation » et justifie le caractère d'aliment d'équilibre ou d'épargne auquel la levure peut prétendre. »

*
* *

La levure alimentaire a une valeur calorique élevée : 100 g libèrent en effet 360 calories.

Néanmoins je n'hésite pas à la conseiller vivement dans les régimes basses calories à titre de complément alimentaire aux doses ci-dessous :

1 cuillerée à soupe rase par jour, 12 g = 43 calories ou 7 comprimés par jour = 43 calories.

Pendant quinze jours par mois ; au cours des repas, dans la salade, le potage ou le fromage blanc, s'il s'agit de levure en poudre ; avant le repas avec une gorgée d'eau par-dessus s'il s'agit de comprimés.

Afin de conserver à la levure toute sa valeur, il ne faut jamais la faire cuire avec des aliments.

Ces doses doivent être prises en plus des quantités globales de calories des menus choisis.

Dans le cas où le sujet voudrait en consommer davantage, il faudrait dès lors en tenir compte dans l'évaluation calorique.

CALORIES OCCULTES

Différentes personnes, pour lesquelles j'avais été amené à composer des menus à valeur calorique réduite, me demandèrent d'introduire dans ces menus des sandwiches, en raison de leur facilité d'achat dans un snack, quand on ne peut rentrer chez soi à midi.

Outre que cette pratique cadre mal avec une alimentation équilibrée, les sandwiches sont terriblement calorigènes. Jugez-en :

Un sandwich préparé avec 50 g de pain et 15 g de beurre donne suivant l'aliment d'accompagnement (50 g), les chiffres suivants :

à l'œuf (une unité) et quelques feuilles de salade ou une tomade	340 calories
aux sardines à l'huile sans beurre	378 calories
au jambon	394 calories
au fromage (gruyère ou camembert)	445 calories
au thon à la mayonnaise (sans beurre), 1 cuillerée à bouche	470 calories
au saucisson ou à la mortadelle	494 calories

Ce sandwich ne pèse en tout que 115 g pour 378 calories au minimum, et si vous en mangez deux, adieu la cure et ses bienfaits !

*
**

Je profite de cette observation pour attirer votre attention sur les calories occultes, autrement dit sur les additions que l'on se permet parce qu'elles n'ont l'air de rien. Un biscuit par ci, un caramel par là, des pastilles de réglisse pour digérer ou le jus de fruit en supplément. Les calories s'accumulent. Avec la meilleure intention de maigrir on peut ainsi, et très agréablement, s'en infliger quatre ou cinq cents en supplément. Pensez au tableau suivant lorsque vous serez tenté ou tentée, et dites-vous que vous libérez un nombre voisin de calories chaque fois que vous absorbez un produit sucré, confiserie ou pâtisserie.

PATISSERIE

	Calories
Biscuit de champagne (50 g)	210
Brioche (une) 30 g environ	108
Madeleine (une) 20 g environ	95
Macaron (un) 29 g environ	120
Pain d'épice (50 g)	180
Petit-beurre (50 g)	210

CONFISERIE

	Calories
Boules de gomme (50 g)	180
Caramel (10 g)	50
Cerise confite (une)	18
Chocolat au lait (10 g)	60
Dragée (une)	15
Pastilles de réglisse (50 g)	175

*
* *

Pour la même raison, prendre garde aux cuillerées d'aliments que la maîtresse de maison absorbe si facilement en préparant les repas. On a faim, et c'est si peu une cuillerée de quelque bonne chose ! Sans doute, mais vous allez voir que ces choses qui ont l'air de moins que rien libèrent un nombre important de calories occultes :

Aliments	Cuillerée à café rase		Cuillerée à dessert rase		Cuillerée à soupe rase	
	poids en g	calories	poids en g	calories	poids en g	calories
Chocolat en poudre	3,3	17	6,6	33	10	50
Confiture	8	24	16	48	24	72
Crème fraîche	7	18	14	37	21	56
Fromage râpé	3	9	6	18	9	36
Huile	4,5	40,5	9	81	13,5	121,5
Ketchup	5	4	10	8	15	12
Lait entier	5	3,5	10	7	15	10,5
Lait écrémé	5	2,25	10	4,5	15	6,75
Lait condensé	6	10	12	20	18	30
Lait condensé sucré	7	22	14	44	21	67
Mayonnaise	5	50	10	100	15	150
Miel	8	27	16	53	24	80
Moutarde	4	5	8	10	12	15
Sucre en poudre	5	20	10	40	15	60
Raisins secs	5	15	10	30	15	45
Riz cuit	6	5	12	14	18	21
Sauce blanche grasse	5	42,5	10	85	15	127,5

Bien évidemment les poids indiqués peuvent varier en plus ou en moins, au moment de la consommation, selon la densité des produits achetés et leur teneur en nutriments et en eau. Il n'empêche que les valeurs caloriques seront voisines de celles indiquées.

Il faut donc se discipliner, et s'abstenir strictement au cours de la préparation des plats d'y goûter à pleines cuillerées.

Combien de maîtresses de maison prennent des repas moins copieux que ceux des membres de leur famille et grossissent davantage. Elles ne prennent pas de goûter et ne pâtissent d'aucun trouble glandulaire ou autre. Le médecin demeure perplexe jusqu'au moment où un interrogatoire précis révèle les fameuses cuillerées à soupe ou à dessert et même à café, que l'on comptait pour rien, et qui n'en sont pas moins la cause des adiposités indésirables !

Chez d'autres les cuillerées ne sont pas en cause, ni les bonbons, ni le sucre, ni la pâtisserie. L'origine de l'excès pondéral est le fruit, c'est le cas de le dire, de fruits secs pris entre les repas pour calmer la faim : petites choses si riches en calories !

	Calories		Calories
1 grosse olive farcie	33	1 olive verte	15
1 pruneau	30	1 cacahuète	10
1 figue sèche	27	1 olive noire	10
1 abricot sec	26	1 amande séchée	8
1 biscuit salé (10 g)	25		

Si vous voulez vraiment maigrir, aucun supplément n'est permis. Méfiez-vous précisément de tous les petits suppléments absorbés facilement, comme ça, sans trop y penser. Par exemple une vingtaine d'amandes ou de cacahuètes. Calculez le nombre de calories... occultes !

APERITIFS ET ALCOOLS

Autre mise en garde à l'endroit des apéritifs et alcools source de calories cachées. Voici les apports approximatifs pour un verre :

	Calories		Calories
Apéritif sec	120	Manhattan	155
Apéritif sucré	170	Malaga	170
Champagne brut	90	Martini	125
Champagne demi-sec	115	Porto	160
Champagne cocktail	130	Punch	185
Coca-cola	80	Sherry	130
Daïquiri	120	Vin sec 10°-11°	55
Dubonnet	170	Vin doux	65
Gin	100	Vermouth sec	55
Grog	170	Whisky	125
Madère	160		

Outre que l'habitude de consommer ces alcools entraîne l'alcoolisme mondain, solitaire ou de bistro, cette consommation est incompatible avec l'hygiénisme intégral, l'alimentation équilibrée et la prévention ou lutte contre l'obésité.

MODES DE CUISSON

Le mode de cuisson des aliments n'est pas non plus dénué d'importance.

Il existe plusieurs méthodes pour cuire, compte tenu de la nourriture. Parmi elles figure la cuisson à l'étouffée, ou à l'étouffade, conçue de telle sorte que la température maximale reste inférieure à 100°. A condition de ne pas la maintenir trop longtemps, cette température épargne en grande partie certaines vitamines. Bien conduite la cuisine à l'étouffée est acceptable dans beaucoup de cas. Elle amollit assez les aliments sans trop leur enlever de qualités et, par conséquent, leur conserve ou leur fait acquérir une digestibilité suffisante. Du fait qu'elle se règle facilement entre + 40° et + 90 °C, la ménagère a, grâce à elle, le moyen de surveiller ses mets et de leur faire atteindre la tendreté désirable.

En principe, on utilise un récipient clos, de dimensions suffisantes, en matériau conducteur et inattaquable aux acidités alimentaires. Il est bon que le fond répartisse vite et bien la chaleur, par exemple grâce à une plaque en cuivre en sandwich avec le métal de l'appareil, bien que, dans cette méthode, les points trop chauds soient moins à craindre, le craquage thermique de l'aliment n'étant pas possible.

Au fond du récipient, mettre un peu d'eau ou des légumes très aqueux qui en produisent. Ajouter des plantes aromatiques pour varier le fumet, rendre plus appétissante et plus digeste la préparation culinaire. De ce choix dépendent largement la saveur des plats et la valeur diététique des mets. C'est tout un art, une aromathérapie bénéfique pour les glandes digestives, qui améliore le degré d'assimilation.

Disons qu'on possède là un moyen facile de dynamiser l'organisme à peu de frais et de ragoûter le repas. Parmi ces plantes, citons le basilic, l'ail, le girofle, le laurier, la sauge, le thym, etc.

CUISSON A LA VAPEUR

Le feu allumé et réglé, l'eau ajoutée ou celle de légumes tels que l'oignon, la courge, la courgette, etc., se vaporise, emplit l'espace du récipient et vient se refroidir contre le couvercle. Très vite il s'établit un cycle intérieur qui maintient au fond du récipient suffisamment de liquide, tandis que la vapeur atteint seule les mets à chauffer, leur cède des calories sans les « noyer » et chasse l'oxygène de l'air qui peut être destructeur.

Les aliments conservent une hydratation suffisante qui attendrit à chaud les parties cellulosiques sans que leurs minéraux précieux diffusent à l'extérieur et ainsi se perdent. Contrairement à ce qui se passe quand on les plonge et les cuit dans l'eau bouillante où leurs sels se disloquent et sont gaspillés, ici les associations minérales gardent leurs propriétés diététiques et demeurent au contact des vitamines dont elles assurent l'action biochimique. Sous l'effet de la vapeur, le légume ne perd pas ses arômes dont l'utilité digestive est incontestable. Au contraire, il s'enrichit de ceux des plantes ajoutées. De plus, ses vitamines se détruisent moins. Au total, il garde assez de composants dans un état dynamisant et assimilables, sans créer, par dégradation, des substances toxiques, comme c'est le cas dans les fritures, pour constituer en fin de compte un plat savoureux et d'une digestibilité convenable.

En bref, la méthode à l'étouffée apparaît satisfaisante et d'une conduite facile, sans surveillance asservissante. Il suffit, par exemple, de goûter des asperges cuites de cette façon pour se rendre compte, par leur saveur et leur finesse, de sa réelle valeur. Aussi doit-on la conseiller pour se nourrir bien et agréablement.

CUISSON A L'EAU

Les aliments mis dans l'eau froide sont portés progressivement à une température qui ne dépasse pas 100 °C.

Inconvénients : les vitamines hydrosolubles, les sels minéraux et oligo-éléments, les matières extractives et les colorants fuient dans l'eau du récipient. Pour la viande, une grande partie de la graisse, près de 40 %, passe dans le bouillon. La cuisinière ajoute de l'eau pour remplacer celle qui s'est évaporée et peut ainsi prolonger la cuisson pendant trois heures. Le bouilli a d'autant moins de saveur qu'il a été cuit longtemps, mais le bouillon peut être exquis. Bouillon gras, déconseillé par les diététiciens.

La mise à cuire à l'eau froide s'applique aux bouillons de viandes, aux consommés, aux bouillons de légumes, aux courts-bouillons pour certains poissons et crustacés, aux légumes secs après un trempage préalable.

En ce qui concerne les légumes et les fruits, rappelons qu'il est préférable de les faire cuire par ce procédé sans les peler. Il a été observé que les pommes de terre sans peau perdent 13 % de vitamine C, alors que celles dites en robe des champs n'ont qu'une perte insignifiante.

L'importance de la surface de contact entre aussi en jeu. La perte de vitamines hydrosolubles est d'autant plus élevée que la surface est plus grande. C'est pourquoi il est conseillé de couper les légumes en gros morceaux.

*
* *

La mise à cuire dans l'eau bouillante fait perdre aux aliments le taux le plus bas de leurs constituants. A 80 °C, les aliments sont saisis et le phénomène de coagulation qui se produit fait barrage à la diffusion des vitamines et des sels et autres substances solubles dans l'eau.

*
* *

L'ébullition préalable de l'eau chasse l'air dissous et diminue les chances de destruction par oxydation de la vitamine C.

Lorsque les légumes frais sont plongés dans l'eau bouillante, en quantité suffisante, à la température de l'ébullition,
le ferment, qui attaque la vitamine C, est détruit avant
d'avoir pu agir.

On restreint la perte de vitamines, en employant peu d'eau,
il faut trouver la quantité d'eau optimale pour éviter la perte
par dissolution (trop d'eau) et empêcher la perte par oxydation (trop peu d'eau).

D'autre part, le rôle du couvercle est de mettre les aliments
à l'abri de l'oxydation et de l'irradiation.

Le volume d'eau le plus satisfaisant est celui qui est égal
à la moitié du poids du ou des légumes à cuire.

Le sel, le sucre augmentent la rétention.

Le bicarbonate de sodium attendrit, raccourcit le temps
de cuisson, mais c'est un alcalinisant, il détruit la vitamine C
(qui ne se conserve qu'en milieu acidifié), il augmente la
destruction des vitamines B1 et B2 (on a indiqué qu'il
fallait rincer à grande eau froide les légumes mis à tremper
dans une eau bicarbonatée).

Certains aliments gagnent à cuire avec leur enveloppe.

La peau ou la pelure contient souvent des éléments vitaminiques.

La surface de l'aliment en contact avec l'eau de cuisson
a une grande importance. Elle intervient dans la perte en
acide ascorbique.

Voici l'exemple de la pomme de terre :

Perte en acide ascorbique .... 45 %

Pommes de terre coupées en deux .... 47 %

Pommes de terre coupées en tranches .... 60 %

En résumé :

L'intérêt de la cuisson à l'eau réside dans l'augmentation
de la digestibilité de la plupart des glucides, dans la désin-
tégration de la texture cellulosique, dans la peptonisation

des protides, la libération des fibres comestibles. C'est en plus la cuisson la moins agressive au point de vue digestif.

*
* *

La viande plongée dans l'eau bouillante a ses protéines coagulées immédiatement. Son goût sera meilleur, au détriment du bouillon bien entendu.

CUISSON AU FOUR

La cuisson au four utilise des températures très élevées de 130° à 300 °C. Actuellement, les thermostats donnent à la ménagère toute sécurité.

La température du four doit être réglée selon la nature de la viande et le volume du morceau. Une chaleur douce et continue convient aux viandes blanches afin d'obtenir en même temps une bonne cuisson et une coloration satisfaisante.

Les pertes de sels minéraux sont insignifiantes au début de la cuisson pour augmenter si l'évaporation s'accroît. Le veau et, d'une façon générale, les viandes jeunes, perdent plus facilement leur eau que les viandes rouges. La réduction de la perte d'eau dépend de la formation d'une croûte périphérique. Une haute température de 220° à 280 °C est nécessaire pour saisir la viande, maintenir la plus grande partie du jus à l'intérieur et obtenir ainsi une bonne cuisson.

Selon la nature de la viande, la cuisson est vive d'abord pour la formation de la croûte préservatrice, puis modérée pour permettre la cuisson intérieure.

De même que la viande, les poissons cuits au four perdent également peu de substances minérales. En raison de leur fragilité, leur cuisson doit être modérée.

*
* *

Un procédé de cuisson millénaire : la broche. Il fut universellement adopté, puis en Occident complètement délaissé. De nos jours, une variante connaît une certaine faveur : le barbecue.

Les grillades constituent aussi une méthode de cuisson recommandée, à condition de ne pas en abuser.

*
**

Les fritures sont incompatibles avec la diététique de l'obèse, en raison de la charge calorique importante représentée par l'imprégnation d'huile. D'autre part, ce n'est pas un procédé de cuisson particulièrement hygiénique et digeste. Pour ces différentes raisons, il ne faut pas l'utiliser fréquemment.

*
**

On retiendra au plan de la diététique les points suivants :

● **Plus la cuisson est prolongée, plus les composants de l'aliment se détériorent.**

● **Les sels minéraux et les vitamines hydrosolubles se dissolvent dans l'eau de cuisson. Plus la quantité de celle-ci est grande, plus les pertes sont élevées.**

● **La cuisson à la vapeur évite, dans une large mesure, la déperdition des sels et des vitamines.**

Cependant, les protéines sont transformées en corps simples. « La cuisson, écrit le professeur Trémolière, amorce le travail digestif qui consiste essentiellement à transformer les protéines non dyalisables en acides aminés solubles dyalisables. »

Pour compenser les pertes des principes biologiques, sans lesquels l'assimilation est compromise, il est indispensable de consommer des crudités, des fruits frais, des jus de fruits et des légumes.

La diététique de l'obèse impose de ne pas faire cuire les viandes, les poissons, les œufs ou tout autre aliment avec un corps gras ou quand cela est nécessaire de n'utiliser que la fraction minimale de lipide.

RÉGIMES FANTAISISTES

Pour en terminer avec la diététique de l'obèse, je dirai quelques mots des régimes miracles qui ont sévi jadis et naguère et encore actuellement, et qu'il faut rejeter sans appel, en raison des dangers qu'ils représentent et du dégoût qu'ils provoquent rapidement. Ils encombrent les pages de certains magazines et des médecins en sont parfois les inventeurs !

Cure de lait à 650 calories

180 g de lait désodé, écrémé et non sucré, à mettre dans un litre et demi d'eau et à parfumer à la vanille. Pour aggraver le breuvage, l'auteur indique qu'il est permis d'ajouter du café en poudre.

Ce triste mélange doit être consommé en quatre fois ou à raison d'un verre à intervalles réguliers au cours de la journée. Avec cela vous êtes forcé de maigrir, mais, si vous prolongez la pénitence, c'est la voie de la dénutrition et de la maladie sans être assuré (e) de voir fondre les adiposités aussi sûrement que les masses musculaires.

N'essayez pas et vous n'aurez pas à nous en dire des nouvelles.

Régime Dole

Il a connu aux U.S.A. un énorme succès. Il se rapproche de la cure précédente : 300 g de lait en poudre, un quart de litre d'eau, 2 cuillerées à soupe d'huile de germe de maïs, 6 cuillerées à soupe de raisin.

Affreux mélange auquel on peut faire le même reproche que ci-dessus. A vous dégoûter de vouloir maigrir.

Régime œufs-gruyère

Quatre œufs durs et 100 g de gruyère répartis en cinq ou six « repas ». Sans une goutte de liquide.

Un régime à rendre jaloux les chameaux dont on sait la sobriété. Il faut être candidat à l'hôpital psychiatrique pour inventer une pareille formule et pour la suivre.

Banana-dièt

Le régime s'applique de la manière suivante : deux bananes et un verre de lait écrémé au petit déjeuner ; trois bananes et un verre de lait écrémé au déjeuner ; idem au dîner.

A suivre pendant deux jours et à reprendre quinze jours après. Certains auteurs réduisent le régime à quatre ou cinq bananes, et proposent un dîner léger basses calories.

C'est déjà un peu mieux que les précédents, mais ça ne vaut pas grand-chose. Banana-dièt est surtout intéressant pour accroître la vente des bananes.

Pamplemousse-ligne

Cette cure implique la suppression totale de pain, vin, féculents, laits, fruits, autorise la consommation de fromage, viande, salades, légumes verts ; puis un pamplemousse matin, midi, soir avant le repas.

Ce régime est fondé sur la suppression quasi totale des glucides, c'est-à-dire de l'amidon, du lactose, du fructose et glucose. Le lait est éliminé, mais on retrouve les fromages qui renferment sinon des glucides, du moins des lipides.

De toute manière, il s'agit d'un régime déséquilibré qu'il serait dangereux de suivre pendant de longs mois, et qui ne peut permettre de vaincre l'obésité.

Là encore, je soupçonne ses inventeurs d'être intéressés par la vente du pamplemousse, citrus au demeurant très salutaire, mais à d'autres titres.

Que ces exemples suffisent à vous faire rejeter ces fantaisistes... et malfaisantes inventions.

EXERCICES PHYSIQUES - MASSAGES

Si la diététique joue un rôle essentiel dans la lutte contre l'obésité, les exercices physiques constituent à n'en pas douter un auxiliaire important de cette action.

Ils permettent en effet aux muscles de ne pas se relâcher, d'améliorer leur tonus, d'accélérer la fonte des adiposités. Combinés avec l'hydrothérapie chaude et froide, et avec la respiration complète et contrôlée, les exercices favorisent l'élimination par les émonctoires des déchets et toxines des produits de la désassimilation ou des différents métabolismes. Les émonctoires ce sont le rein, l'intestin, la peau, le poumon.

Il faut activer coûte que coûte la circulation du sang et de la lymphe, éviter les stases capillaires désastreuses. Avec un peu de volonté vous pouvez pratiquer chez vous, chaque jour, des séances de pédalage, de machine à ramer, des circumductions, des tractions, de l'espalier. L'excuse du manque de temps ne tient pas. C'est un alibi dans l'immense majorité des cas. Vous pouvez, vous devez dégager un quart d'heure quotidien pour toucher vos pieds de la pointe de vos doigts, pour vous étendre sur votre tapis et soulever votre buste afin de restaurer votre sangle abdominale, pour faire des rotations du tronc, pour effectuer des mouvements de bras avec ou sans petites haltères, etc.

Des mouvements faciles ont été décrits par le docteur Jean Dermeyer dans son ouvrage sur l'hydrothérapie, méthode Kneipp. Je me permets de vous y renvoyer, ce livre vous sera particulièrement utile.

*
**

Ne négligez pas non plus la marche. C'est l'exercice souverain qu'il est possible de pratiquer à tout âge. Commencez par de courtes promenades et augmentez progressivement le parcours et l'allure, de sorte que vous puissiez faire huit à dix kilomètres à cinq ou six à l'heure, sans fatigue. Vous en ressentirez un bien-être important, une impression de légèreté. C'est un acte physiologique souvent capital de la régénération physique, et qui favorise la perte de poids.

*
* *

Les exercices et la marche entretiennent et développent la capacité respiratoire dont on sait le rôle déterminant dans l'oxygénation optimale des tissus. Les poumons reçoivent et retiennent davantage d'oxygène par suite du léger essoufflement produit par l'activité musculaire. Ils sont mieux sollicités. Il en résulte une élimination plus active et plus totale des déchets organiques, et une irrigation supérieure de la musculature, un assouplissement des vaisseaux sanguins.

Mais on ne sait pas toujours respirer comme il convient. On ne sait pas profiter du massage cardiaque constitué par un mouvement respiratoire correctement pratiqué. Une initiation est indispensable. Vous tirerez à cet égard un grand profit d'un autre manuel du docteur Jean Dermeyer : La Respiration complète et contrôlée.

*
* *

Les massages peuvent en outre parfaire les bienfaits de l'exercice, de la marche et de la respiration. On accorde dans les milieux médicaux de plus en plus d'importance au massage et on a raison, étant donné que les séances produisent trois bienfaits hautement bénéfiques : la désintoxication, la détente ou résolution musculaire totale, la fonte lente mais sûre des adiposités, sous réserve, bien évidemment, d'avoir un régime alimentaire complet couvrant strictement les dépenses et écartant les calories occultes.

Cette action mécanique des mains sur le tégument, autrement dit sur la peau, les tissus d'enveloppe, fait partie des méthodes naturelles, et peut être incluse avantageusement dans l'hygiénisme intégral. C'est aussi un complément thérapeutique important appliqué par le kinésithérapeute.

Peut-on se masser soi-même ?

Je n'hésite pas à répondre par l'affirmative, sous réserve du savoir-faire.

La règle fondamentale est celle-ci : le massage ne doit en aucun cas faire mal. D'aucuns s'imaginent que pour éliminer les déchets de la fatigue, il faut triturer les masses musculaires, les pincer fortement à pleines mains. Le résultat obtenu est alors opposé à celui recherché : des poisons sont certes évacués, mais il s'en forme d'autres provenant des cellules broyées par la manœuvre intempestive qui produit de petites hémorragies capillaires ou hématomes (bleus), des meurtrissures et tuméfactions.

Les massages, au début surtout, doivent être de faible intensité et de courte durée et, comme cela doit être observé dans toutes les méthodes naturelles, augmenter progressivement.

Des tissus durcis, infiltrés, atteints de cellulite seront mobilisés prudemment afin de réduire sans choc l'inflammation, de rétablir la circulation des liquides interstitiels, de la lymphe, et pouvoir ensuite tirer bénéfice de manœuvres plus amples qui devront aller, après cette préparation suffisante, à la limite non certes de la douleur, mais de la sensibilité. Il y faut, comme l'on dit, du doigté.

L'automassage n'utilisera pratiquement que deux manœuvres : la pression légère et le pétrissage superficiel au début, la pression et le pétrissage profonds ensuite.

Les séances auront lieu à mains nues. Les masseurs professionnels déconseillent l'usage du talc. Pour obtenir un effet sédatif dont le but est l'élimination des déchets, les manœuvres doivent être lentes, sans aucune brusquerie, ni au commencement, ni à la fin de la séance et déborder largement la région traitée.

Entrer dans d'autres détails, et décrire des exercices pratiques dépasserait le cadre de cet ouvrage. Là encore je renvoie les lecteurs intéressés à des manuels spécialisés.

LA FIN, LES MOYENS, LE SUCCÈS

Voici que nous touchons au terme de cet ouvrage. Et la fin poursuivie, c'est le succès de votre cure. Or qui veut la fin veut les moyens. Et les moyens, ce sont des menus qui ne doivent vous apporter que la quantité fixée, plus la levure alimentaire ou le germe de blé, l'une ou l'autre, pendant quinze jours par mois.

Il n'est pas d'autres secrets pour maigrir : une quantité globale de calories avec des menus le mieux équilibrés possible.

Si vous ne pouvez suivre pendant de longues semaines la cure à 800 calories, vous pouvez très bien alterner : un jour 800, le lendemain 1.000, le troisième jour 1.250.
Si vous êtes moins pressé (e) d'aboutir, il vous est même possible d'élargir l'alternance comme suit :
lundi 800 calories, mardi 1.000, mercredi 1.250, jeudi 1.500, vendredi 800, samedi 1.800 calories, dimanche 2.000 calories. Je n'ai pas indiqué de menus à 2.000 calories, mais il vous sera aisé d'y parvenir en augmentant les rations, à l'aide des tableaux.
Il est évident que vous ne devez jamais perdre de vue la fin, et si la balance ne traduit pas de résultats positifs, si vous stagnez dans l'obésité, l'alternance devra être réduite. Soyez persuadé (e) que la perte de poids, sûre et sans risque, est celle obtenue lentement et graduellement, sans médicaments toxiques. Une fois le poids souhaitable atteint, il suffit pour se stabiliser de recevoir une alimentation complète qui libère un nombre de calories ajustées à ses dépenses. Ce

peut être 1.800 calories ou 2.000 ou 2.500. La bascule reste le témoin irrécusable qu'il convient de consulter réguliè-rement.

Les moyens, je le souligne à nouveau, résident dans les évaluations précises des valeurs caloriques globales. Au début on tâtonne, et il faut consulter souvent les tableaux et utiliser balance et pèse-lettre, mais ce recours devient de moins en moins nécessaire ; les évaluations se font ensuite avec de plus en plus de précision, au coup d'œil. Il suffit de loin en loin de faire des vérifications. La bascule reste bien entendu, l'instrument qui permet de s'assurer par la stabi-lité de son poids de la sûreté de ses évaluations.

L'idéal est de maigrir de quarante à cinquante grammes par jour. Multiplié par 365, cela fait 14 kg 600, si une telle perte est nécessaire bien entendu. Résultat très satisfaisant qu'il ne tient qu'à vous d'obtenir et de rendre durable, sans nuire aucunement à votre santé, bien au contraire.

*
* *

On ne le répétera jamais assez, il ne faut pas recevoir davantage de calories qu'on n'en dépense. Tout le problème de l'obésité courante, l'obésité de surcharge, celle du plus grand nombre, tient dans cette proposition.

D'autre part, la lutte contre l'obésité, c'est aussi le combat pour une meilleure santé. L'homme, et particulièrement l'Occidental, est malade par excès de nourriture et défaut d'activité physique. Cette double erreur de comportement rend compte de la montée en flèche des maladies de plétho-re, de l'athérosclérose, du diabète. Les moyens que nous proposons ici permettent de s'affranchir de cette redoutable morbidité.

Cette méthode d'alimentation nous rend capable de com-mander à notre appétit au lieu d'en être esclave. C'est déjà une manière d'affranchissement. Dès lors, vous connaîtrez le plaisir raffiné, d'ordre esthétique, de vous arrêter de man-ger alors que vous n'êtes pas totalement rassasié. Ce faisant vous vivrez l'antique adage : « On doit, pour se bien porter, se lever de table avec un léger appétit. »

Cela n'est possible, c'est l'évidence, que si la table ne constitue pas l'essentiel de sa vie. Si son ventre n'est pas « l'unique Messire dieu ». Sans qu'une telle attitude nous incline à l'angélisme. « Qui veut faire l'ange fait la bête. » N'oubliez jamais cette recommandation de Pascal. Ce serait une grave erreur que de virer à l'opposé et de mépriser la nourriture. Le repas est un fait social. Aussi bien importe-t-il d'honorer la réunion de la cellule familiale autour de la table. Et si nous avons le devoir, par nécessité de santé, de nous restreindre, que ce soit avec joie, le sourire aux lèvres et non comme un reproche, comme un coupe-appétit à l'endroit de ceux qui, non soumis pour le moment aux mêmes mesures, peuvent ou doivent recevoir des rations plus substantielles.

Et puis, de loin en loin, vous devez sacrifier à des habitudes familiales ancestrales, aux repas de fête, aux obligations professionnelles ou mondaines. Mais, dans ces circonstances, vous éviterez d'être le prêcheur des basses calories. Il faut savoir choisir le moment opportun pour faire école.

Après la liesse se mettre immédiatement aux menus les plus réduits, afin de rattraper l'excès pondéral et d'assainir l'organisme.

Si c'est vous, Madame, qui organisez la réception, faites faire bonne chère à vos amis, à vos parents, sans excès de charcuterie, de viandes grasses et de pâtisseries. Ce faisant vous réduirez les aliments calorigènes à l'excès, tout en honorant comme il convient vos convives.

Maigrir et se maintenir au plus près du poids souhaitable ne sont donc plus des problèmes insolubles. Vous pouvez les résoudre de la plus heureuse façon qu'il soit, en suivant la méthode proposée dans ce livre. Méthode en douceur, sans agressions toxiques, sans bouleverser votre vie parce que cette méthode respecte à la fois la nature et les circons-

tances de l'existence. Elle respecte le temps. Il faut toujours mettre le temps de son côté. La nature a horreur d'être brusquée.

Méthode particulièrement hygiénique aussi, étant donné qu'elle permet de manger moins tout en se nourrissant mieux.

Méthode de santé enfin : ceux qui ont les meilleures chances de se mieux porter, de vivre plus longtemps dans une meilleure lucidité sont ceux qui savent éviter ou perdre les kilos superflus.

Il ne reste qu'à le vouloir. Je vous souhaite donc d'éduquer ou de rééduquer votre volonté, maintenant que vous connaissez le but de cette action contre l'obésité et que vous en avez les moyens.

TABLE DES MATIÈRES

ACHEVÉ D'IMPRIMER EN JUILLET 1975
SUR LES PRESSES DE LA SOCIÉTÉ
D'EXPLOITATION DE L'IMPRIMERIE
LIENHART ET Cie, 07200 AUBENAS

DÉPÔT LÉGAL : 3e TRIMESTRE 1975

Imprimé en France

I.S.B.N. 2.7126.0016.9